COLLECTION FOLIO

Christophe Ono-dit-Biot

Croire
au merveilleux

Gallimard

Christophe Ono-dit-Biot est né au Havre en 1975. Agrégé de lettres, il est l'auteur de six romans : *Désagrégé(e)* (2000), prix La Rochefoucauld, *Interdit à toute femme et à toute femelle* (2002), *Génération spontanée* (2004), prix de la Vocation, *Birmane* (2007), prix Interallié, *Plonger* (2013), Grand Prix de l'Académie française 2013 et prix Renaudot des lycéens, et *Croire au merveilleux* (2017), prix Récamier du roman 2017 et prix littéraire des Rotary Clubs.

Il a aussi publié *Ciels d'orage,* un livre d'entretiens avec l'auteur-dessinateur et cinéaste Enki Bilal.

Pour Hector et Alma,
qui aiment déjà tant les histoires.

« Croyez-vous en Dieu ?
— Moi ? Je crois en Zeus. »

Tom WOLFE

« Seule l'Antiquité païenne
éveillait mon désir, parce que
c'était le monde d'avant, parce
que c'était un monde aboli. »

Paul VEYNE

I

LE MORT

France, Paris & Italie, Amalfi

Faire propre

Aujourd'hui je vais mourir.
Je ne suis pas malade.
Je ne suis pas ruiné.
Je n'arrive plus à vivre, c'est tout.
Amputé à ce point, est-ce qu'on peut même employer le mot : *vivre* ?

J'ai longtemps cru que j'y arriverais. Cru tout ce qu'on m'a raconté : l'apaisement qui suit l'acceptation de la mort de l'être aimé, puis sa renaissance sublimée sous forme de souvenirs... Tu parles. Je ne pense plus qu'à ses cendres flottant sur l'eau. J'ai leur goût dans la bouche.

La nuit, on tend les bras et il n'y a plus personne, plus rien.
Je ne peux pas la faire revenir, mes mots ne me servent à rien, or je n'ai que les mots, alors je veux mourir.

Plus personne ? J'aggrave mon cas : il y a quelqu'un. Un enfant, notre fils, six ans. Mais l'amour que j'ai pour lui, l'amour qu'il me donne, et même la somme de ces amours ne parviennent pas à équilibrer le plateau de la balance. Ça penche beaucoup trop, de l'autre côté, sur le plateau vide, celui qui m'attire.

Lorsque je le regarde, lui, je la vois, elle. Et je lui en veux, à lui, comme à elle. Les mêmes traits, le même défi dans le regard sombre, la même grâce, la même peau, les mêmes colères.

Alors, en finir. Je sais que je bafoue tous mes engagements de père en écrivant ça, mais en suis-je encore un ?

*

Si j'en suis un, c'est un mauvais. Je m'en suis encore aperçu à Chambord, il y a quelques mois, en plein hiver. Le château où a été tourné *Peau d'âne.* Je voulais l'y emmener parce qu'il avait adoré le film, et surtout Deneuve. Je suis plutôt Seyrig. Un ciel blanc à force d'être gris couronnait les clochetons, la tour à fleurs de lys, les terrasses ornées de salamandres sculptées, où nous errions tous les deux, main dans la main, entre la terre et le ciel, jusqu'au bord, à pic. Peu de visiteurs, transis, comme nous, et tout autour, à perte de vue, la masse de la forêt qui nous cerne, comme si nous étions sur une île, menacés par des vagues griffues. Me venaient en tête non pas des images de sangliers fonçant dans les futaies lors de chasses fabuleuses, non pas celles de torches éclairant les cavalcades de jeunes princes au sang vif, excités par la sève courant sous les écorces, mais des visions de meurtres atroces, des nourrissons auxquels on arrache le cœur parce qu'une marâtre l'exige, des jeunes femmes dont on prend la vertu en laissant ensuite leurs beaux appas aux loups, des têtes d'innocents broyées à coups de silex et dont le sang macule la dentelle des fougères.

Nous sommes redescendus par l'escalier à double vis, dessiné, dit-on, par Léonard de Vinci. Les pièces étaient glaciales, tendues de tapisseries pelées désertées par les couleurs. Le froid régnait en maître, on le sentait, solide, au bout de nos doigts gelés. Un cerf sculpté dans le bois, à taille réelle, vu dans le film de Jacques Demy, posait au centre d'une pièce avec une grande croix au milieu des andouillers. Perdu dans cette immensité, l'animal pétrifié vous poignardait le cœur. Ce n'était pas un château, c'était un sépulcre.

Je n'avais pas l'énergie de répondre à ses questions sur les rois, sur Léonard, la Renaissance et la symbolique de la fleur de lys. Ce délire de pierre puait la mort, me révulsait : je savais bien que l'odeur venait aussi de moi.

Je suis lucide, c'est mon drame. Comme si la vie ne voulait plus circuler dans mes veines. J'ai bien peur que ce soit sans issue.

Je ne mérite pas mon fils et sa gentillesse. Sa grâce de faon.

En conduisant vers Chenonceau, j'ai pensé à ces parents qui avant de se tuer tuent leurs enfants. J'avais toujours trouvé ça dégueulasse, et puis ce jour-là j'ai compris. Nous venions de franchir un péage, et de longer un silo en béton de proportions colossales qui semblait abandonné.

« Papa, tu mets un peu de musique ? m'a-t-il dit de sa petite voix.

— Bien sûr mon cœur. »

Oui, ce jour-là j'ai compris. On ne tue pas ses enfants parce qu'on veut faire table rase d'une vie ratée, en tentant par un retour en arrière d'annuler le gâchis que nos vies d'adulte ont semé dans la leur.

Non : on tue pour ne pas être jugé par ses enfants quand ils seront en âge de le faire.

Moi j'ai confiance en son jugement. Et c'est pour ça que je veux qu'il vive.

Il vivra, et dans les meilleures conditions possibles. J'ai tout arrangé pour lui. Une jolie somme l'attend à sa majorité. Et un système de virements copieux d'ici là. Tout est en ordre, sous clef, dûment notarié. Il sera élevé par ceux qui m'ont élevé. Là où il est en ce moment. Il ne manquera de rien. Si, il manquera d'un père.

Pas grave, mieux même : je n'aurai pas eu le temps de le décevoir, comme tous les pères.

Lâcheté ? Non. Ce qui serait lâche, c'est de ne pas le faire, de continuer à me renier à ce point. Je ne mets pas fin à mes jours, je mets fin à une longue nuit.

Mes pensées fusent. Je ne les contrôle plus.

*

Ma femme est morte. Sous l'eau. Mais avant de mourir elle est partie, nous laissant seuls, mon fils et moi. Je n'ai jamais su si elle comptait revenir de ce voyage qui aura été fatal, ou si elle avait fait une croix sur nous. C'était une artiste… Et on ne sait jamais, avec les artistes. Le prix de la création est lourd. Le problème, c'est que ce sont souvent les autres qui le paient.

Cette ignorance me ronge. Et j'erre, tel ce bon vieil Ulysse, à bord de mon corps dont la charpente gémit, et sans l'espoir de retrouver, au bout des mers, le lit d'olivier où m'attend Pénélope.

Pénélope m'a planté.

*

Il faut voir la gueule que j'ai. Ça fait deux ans maintenant mais j'en ai pris dix.

*

« Pourquoi tu pleures, Papa ? Je vais te donner un bisou et tu n'auras plus mal. »

C'est lui qui se lève, un comble, et vient m'apaiser avec sa petite main. Il s'allonge à mes côtés, et je parviens à retrouver le fil du sommeil.

Le monde est à l'envers. J'ai honte.

« Tu as mal où, Papa ? »

Et parce qu'il faut bien répondre quelque chose : « J'ai mal au cœur, mon fils. »

Il l'a dit l'autre jour à l'école. « Mon papa a mal au cœur. » Du coup, lorsque je suis allé le chercher, la maîtresse m'a demandé si j'avais besoin d'un bon cardiologue.

Est-ce que c'est ça le deuil ? Être confronté au silence ? Se fracasser constamment contre le mur de l'absence ? Chialer tout en conservant l'espoir d'un miracle ?

*

Le château de Chenonceau est délicatement posé sur le Cher, bien solide sur ses arches. Ce n'est pas un château fort, c'est un château-pont. Pendant la Première Guerre mondiale, il fut transformé en hôpital. Depuis leur lit, les gueules cassées pêchaient dans l'autre lit, celui, liquide, de la rivière. Le Cher. Mon cher à moi a beaucoup aimé Chenonceau. La chambre de la reine, les grands lits à baldaquin, les portraits de Diane de Poitiers en Diane chasseresse, avec son croissant de lune dans la chevelure, et le D chevillé au H d'Henri pour mieux mimer l'amour, les sirènes sculptées sur les portes, le portrait de Mme Dupin, qui tenait un salon littéraire et reçut Voltaire, Rousseau, Montesquieu ou Bernis.

« Elle est belle, Papa… C'est quoi une muse ?

— Une femme qui inspire les artistes.

— Ça veut dire qu'elle les aide à respirer ?

— Oui, mon faon. »

Je n'ai aimé, moi, qu'une seule pièce. Celle de Louise de Lorraine, l'épouse d'Henri III, tout en haut, sous les toits. Tous les murs sont peints en noir, constellés du même motif répété jusqu'à l'écœurement sur les lourdes tentures des baldaquins et celles qui obstruent les fenêtres : des cornes d'abondance pleurant des larmes d'argent. Dans un coin, un oratoire et un portrait d'Henri, pourpoint et bonnet noirs, moustache et barbiche de mousquetaire, saphir à l'oreille, œil mélancolique. Devise de circonstance pour moi : *Manet ultima caelo*, « La dernière se trouve au ciel ». Sauf que lui ce n'était pas la dernière femme mais la dernière couronne, après celles de Pologne et de France que son front mortel avait ceintes. Le ligueur Jacques Clément, terroriste chrétien, le frappe au ventre en 1589. Au ciel, Henri ! Restée sur terre, Louise se brûle dans le chagrin et fait de cette chambre son tombeau. Vivante mais morte. J'ai aimé ce lieu. J'ai aimé ce noir. J'ai aimé le cadre d'un tableau christique où trois gouttes de sang s'écoulaient d'un cœur entouré d'épines.

Ce cœur, c'était le mien.

« À quoi bon vivre avec un père comme toi ? »
me suis-je dit en sortant du labyrinthe végétal
que Catherine de Médicis avait voulu pour son
parc. Perdu dans les haies d'ifs, et si heureux de
se perdre, mon fils m'appelait, « tu es où, Papa ?
Je ne te vois pas ! Mon papa ! ».

Les larmes coulaient sur mon visage, prestement
torchées d'un coup de manche. « Mon papa, tu
es où ? » Il ne me voyait pas. Aveuglé par le sel
qui mordait mes joues, broyé par la honte de ne
pouvoir lui répondre, j'aurais voulu que la terre
humide, tapissée de feuilles à moitié décompo-
sées, m'absorbe. Et qu'une bonne fée l'emmène,
lui, dans son carrosse pour en prendre soin.

Il sera mieux sans moi. Je n'ai vraiment plus
la force. Je lui ai transmis ce que j'ai de mieux
à transmettre. Le reste, mes vices, mon petit
paquet de névroses, a-t-il besoin de le découvrir ?

Il a trouvé la sortie du labyrinthe et saute
dans mes bras. Je prends sa petite tête entre mes
mains. Il sourit. C'est insupportable car il a ses
traits mais il n'est pas elle.

« Enfant » commence comme « enfer ». Celui
que je lui promets si je reste.

Pourquoi ne m'a-t-elle rien laissé ?

Une explication ?

Que je sache, au moins, ce qu'elle comptait
faire de nous ?

*

Aux orties, le grand-guignol, la cervelle éclatée sur les murs. Je veux faire propre, respecter ceux qui vont me trouver. Rester design, en accord avec mes meubles.

Je vais glisser. Tout doucement.

Faire place nette.

Ma solution finale est médicamenteuse.

*

Il est temps. Je me lève pour fermer les fenêtres. Je ne voudrais pas, en plus, transpirer. C'est la canicule à Paris. Météo idéale pour une torpeur définitive. Les rues sont désertes. Pas un bruit dans la ville, où, depuis un an, la mort frappe, régulièrement, au nom d'un dieu oriental qu'on dit avide du sang de ceux qui ne croient pas en lui.

Canicule : en latin, « petite chienne ». C'est le nom, raconte Pline l'Ancien dans son *Histoire naturelle*, la grande somme de l'Antiquité qui trône là, dans ma bibliothèque, que les Romains donnaient à Sirius, principale étoile de la constellation dite du Grand Chien. À cette période de l'année, elle s'éveille en même temps que le Soleil, et « allume son ardeur ».

Nam caniculae exortu acendi solis uapores quis ignorat.

« Les effets de cet astre sont les plus puissants sur la Terre », ajoute Pline, qui mourut asphyxié

23

par l'éruption du Vésuve : les mers bouillonnent, les eaux stagnantes s'agitent, les chiens sont davantage exposés à la rage.

Bref, une étoile se lève, et moi je me couche.

Un astre et un désastre.

Je plaisante. J'ai bien le droit.

Je m'assois dans la cuisine. Je contemple la dizaine de gélules alignées sur la table comme les balles d'un sniper maniaque. J'en ai déjà absorbé trois et les effets myorelaxants se font enfin sentir. Myorelaxant : musculairement relaxant. *Myo* c'est le muscle, en grec, et c'est aussi, étrangement, la souris, comme dans « myosotis », « oreille de souris ». On retrouve cette confusion dans l'expression « souris d'agneau » que connaissent tous les bouchers. On s'en fout ? Sans doute. J'ai tellement saoulé les gens avec mon étymologie. Je n'y peux rien. J'aime les mots, leur sens ancien, les passerelles que ça crée. L'impression d'un ordre, d'une cohérence, d'un enracinement, le seul qui tienne dans ce monde de folie. Où les mots ne veulent plus rien dire. Où la vérité ne compte plus. Où la nuance est morte.

Une gélule roule. Je remets à sa place le petit cylindre rétif. C'est le numéro 7. Plus petit que les autres, comme le 8 et le 9, qui sont ronds. J'avale le numéro 4. J'ai bien bossé la posologie. Évité les risques de vomissements, la perte de conscience trop rapide. On trouve tout sur la grande Toile mondiale. La traduction complète de Quintus de Smyrne et ce genre de recettes. Je sens le repos qui s'installe. C'est doux. Je me concentre sur la sensation. Comme du coton liquide dans mes veines. Je m'apaise.

J'ai dit Ulysse, mais non, je suis Socrate prenant la ciguë au milieu de ses compagnons. Sauf que je n'ai pas de compagnons. C'est un peu ma faute. Très vite, après son départ, je n'ai plus eu envie de voir personne. Je veux dire, de voir vraiment. Professionnellement, j'ai fait bonne figure. Je me suis enseveli dans le travail. J'ai même repris le reportage, puisque le monde saignait de partout, qu'on n'était à l'abri nulle part, qu'aucun pari n'était plus à faire sur l'Europe. Comment avais-je pu m'illusionner sur un possible refuge ? Non, pas d'amis, hormis les créatures de papier qui vivent entre les pages de ma grande bibliothèque. Seuls les livres arrivent à me calmer, le jour, la nuit, quand le fantôme revient. Seuls les personnages anciens savent parler à mon cœur, là où les vivants échouent.

Mes jambes sont lourdes, mon cœur ralentit...

Les Grecs appelaient cela l'« ataraxie ». L'absence de troubles.

... ἀλλά μοι δῆλόν ἐστι τοῦτο, ὅτι ἤδη τεθνάναι καὶ ἀπηλλάχθαι πραγμάτων βέλτιον ἦν μοι.

« ... je suis bien convaincu qu'il est préférable pour moi de mourir dès à présent et d'être délivré des soucis de l'existence ».

C'est marrant, toute cette vieille culture, ces vieilles citations, ces vieux mythes qui remontent comme des bulles de champagne du fond d'un verre, sauf que c'est moi qui crève.

Ils m'auront accompagné toute ma vie, et ils me font un dernier salut.

Je sens que tout est plus lent. Je plonge dans un océan ouaté. Je regarde les boîtes, petits véhicules aux noms de héros de science-fiction qui m'emportent vers le néant. Même si, je ne m'en cache pas, j'attends mieux que le néant. Peut-être des surprises ? La retrouver, qui sait ? Ça y est, je glisse.

. . . .

C'est quoi ce bruit ?

Nana

On sonne à ma porte. Des petits coups réguliers. Timides d'abord, puis de plus en plus insistants. J'entends malgré l'étoupe qui a envahi ma
tête. Ça me dérange. J'étais bien, assis sur mon
tabouret, à contempler les pilules qu'il me restait à ingérer, rêvant du moment où je m'allon-
gerais sur le carrelage de ma cuisine pour me
laisser rapter par ma molécule psychopompe,
mon Voldemort en capsules.

Je ne vais pas répondre, évidemment. Pas en
état. Pas envie.

Sauf que ça continue. Plus fort maintenant.
Qui c'est ce con ? Qui va tout faire foirer ? Je
cache les pilules restantes sous un torchon. Ne
pas se faire prendre. Je me lève péniblement. Je
regarde par l'œilleton.

Une fille.

Une fille que je ne connais pas et qui sonne
à ma porte.

Je retourne à la cuisine. Elle sonne encore. Je

retourne à la porte. Je regarde à nouveau. Elle a un casque de scooter à la main. Doré. Elle est blonde. Les cheveux longs.

Elle va rameuter le quartier. Me priver de mon moment. Ma tête est lourde, mais je prends la décision. Je vais faire vite. J'ouvre la porte.

« Excusez-moi. J'ai oublié mes clefs. »

Je manque d'éclater de rire. Un type essaie de mourir et, ding dong, « j'ai oublié mes clefs ».

« Vos clefs ? » Ma voix est pâteuse. La drogue commence à m'abrutir. Elle lève les sourcils et me dévisage avec pitié. Avant d'entrer d'autorité.

Elle est vêtue d'une robe blanche qui s'arrête à mi-cuisse. En bandoulière, un sac à main en daim divise le haut de son buste en deux monts paisibles. Et donc, à la main, ce casque doré. Oui, ça se fait : les joueurs du Fighting Irish de Notre Dame, une équipe de foot américain universitaire, dans l'Indiana, en portent.

Elle doit avoir vingt ans. Allez, vingt-deux… Elle s'avance dans le couloir. Ses chevilles fines laissent voir ses tendons d'Achille insérés dans des mollets svcltes, sportifs. Je sens dans ce corps une énergie qui me dépasse, et cela m'inquiète. J'ai à faire. Elle risque de tout compromettre. Je voudrais qu'elle soit déjà dehors.

« Pardon, mais vous êtes ? »

Elle s'arrête, se retourne. Je regarde mieux son visage ovale, peut-être un peu masculin, ses très grands yeux aux longs cils. Traits lisses, bouche entrouverte.

« Votre voisine d'en face. »

Elle scrute l'appartement, le couloir, les miroirs, les lampes. Elle s'avance. Elle inspecte, sûre d'elle.

J'émets une objection :

« Ma voisine d'en face a quatre-vingts ans…

— Elle est morte il y a six mois », répond-elle.

Elle a un accent étranger que je n'identifie pas.

« Ça vous a échappé ?

— On dirait. »

J'ai l'impression d'avoir déjà vu cette fille. J'ai une grande mémoire des visages. Je suis pourtant certain qu'on ne l'a jamais eue comme baby-sitter.

« Jolie statue », dit-elle en désignant la nageuse posée dans mon entrée, immergée dans son vase de verre. Je frémis : l'histoire de cette statue m'est douloureuse.

« Excusez-moi, mais qu'est-ce que vous voulez ? »

Je n'ai pas élevé la voix. Pas l'énergie.

« Je vous l'ai dit. J'attends mes clefs. Mais ne vous inquiétez pas, je ne m'incruste pas… C'est comme ça qu'on dit ? »

Je ne réponds pas. « Je ne m'incruste pas », ça fait coquillage, ou pierre précieuse. J'aime les deux.

« Mon frère va arriver dans quelques minutes. Je l'ai prévenu. Il me rapporte un jeu de clefs. J'ai préféré frapper plutôt que d'aller au café. Comme on ne se connaissait pas… »

Je reste muet. Ma tête se remplit un peu plus de coton froid.

« J'espère que je ne vous dérange pas. »

J'ai juste secoué la tête, et manqué m'évanouir. Il faut qu'elle parte.

Je fais tous les efforts du monde pour tenir debout. Ne pas se faire prendre. Ce n'est pas l'heure des jeunes filles, c'est l'heure de la mort.

« Votre frère arrive quand ?

— Bientôt. »

Elle avance encore, entre dans le salon et s'arrête devant la bibliothèque. Une muraille de Budé, cette collection de livres que les moins de vingt ans sont peu nombreux à connaître. Il n'y a pas seulement Pline l'Ancien, il y a presque tout. La crème de la littérature antique. Couleur jaune pour le grec, brique pour le latin. Il y a davantage de jaune, chez moi. Je révère ces livres. Elle passe un doigt fuselé sur leur dos. Un geste qui me surprend, une caresse qui s'attarde. Les ongles sont vernis mais incolores, les doigts sans bagues. Aucun bijou au cou ni aux oreilles. Deux bracelets d'or au poignet, c'est tout. Des feuilles qui s'entrelacent. Son index s'arrête sur l'un des volumes, qu'elle sort du rayonnage. Un jaune, à la couverture ornée d'une petite chouette, emblème de la collection. Elle le feuillette, comme si elle était seule. Je la regarde avec curiosité.

« Vous me le prêtez ? » demande-t-elle.

Je mets du temps à répondre.

« La *Théogonie* d'Hésiode ?

— C'est bilingue. Ça m'aide à travailler mon français. »

Je comprends mieux pour l'accent. Grecque, donc. Grecque et blonde. Je trouve encore un peu de force pour répondre :

« Un poème du VIIIe siècle avant Jésus-Christ qui raconte la création du monde et les batailles entre les dieux et les monstres, je doute que cela vous serve dans la France d'aujourd'hui.

— Pourquoi pas, quand les monstres sont là ? »

C'est joli. Mais elle n'a rien à faire là. Le temps presse.

« Prenez-le. Et maintenant je suis désolé, on m'attend. »

Elle dépose le livre au fond de son casque, qu'elle tient comme un panier, mais ne bouge pas.

Et me tend la main.

« Nana », dit-elle.

Je suis forcé de la regarder dans les yeux. Pas seulement verts, mais vert pâle, avec au fond comme de la limaille d'or. Je répète, ensuqué :
« Nana ?

— Oui, comme Mouskouri. C'est ce que vous alliez dire ? » ajoute-t-elle en riant.

Son visage s'éclaire. C'est assez solaire, mais pas assez pour dissiper ma nuit.

« Et vous ? reprend-elle.

— Pardon ?

— Vous vous appelez comment ?

— César. »

J'ai toujours sa main dans la mienne. Mais c'est plutôt elle qui me retient. Le rugissement d'un moteur traverse les fenêtres.

« Marcello », dit-elle dans un murmure, avant de tourner les talons.

À la bonne heure. On entend des bruits sourds de l'autre côté du palier. « Nana ! » hurle une voix gutturale, tandis que des mains tambourinent sur la porte d'en face.

« Il sait vraiment que vous n'avez pas vos clefs ? »

Un éclair s'allume dans ses yeux. Un je-ne-sais-quoi de cruel.

J'ouvre ma porte. Un jeune homme sanglé dans un pantalon et une veste de cuir qui lui laisse les bras nus se retourne. Une fine barbe, qui contraste avec son crâne rasé, vient souligner une mâchoire vigoureuse et un menton têtu. À moi, il jette un regard surpris, et vite mauvais. À elle, une phrase qui doit être du grec, sur le mode agressif, à laquelle elle ne répond pas. Sur le palier, elle me regarde une dernière fois.

« Prenez soin de vous », dit-elle.

Je ferme, les épie par l'œilleton, et j'ai du mal à croire ce que je vois. Elle vient en effet d'ouvrir son sac, d'y plonger la main et d'en sortir un jeu de clefs, sonnant et trébuchant. Elle en choisit une et l'introduit dans la serrure. À quel jeu joue-t-elle ? La porte s'ouvre. Ils s'engouffrent chez elle et disparaissent.

Je plaque mes paumes sur la porte pour tenter de garder l'équilibre. Je me sens épuisé, trompé. Déçu, encore une fois, par la vie et ses habitants. Qui est cette fille ? Pourquoi m'a-t-elle menti avec cette histoire de clefs ? Comme un athlète, un skieur pro parfaitement préparé pour le Super-G, ayant tellement répété le parcours les yeux fermés, capable d'identifier mentalement la moindre bosse, la moindre plaque de verglas, je m'étais élancé et j'avais fait le plus dur. Plus rien ne devait m'arrêter. Or c'est ce qu'elle avait fait, m'arrêter dans mon élan. Il me reste six gélules à ingérer mais je sais déjà que ce n'est plus le moment propice, le *kaïros*, comme disaient les Grecs de l'Antiquité pour qualifier cet espace entre le trop tôt et le trop tard. Pourquoi ai-je ouvert cette foutue porte ? Même me gommer, je n'y arrive pas.

Je pense à mon fils. Il était moins une. Je devrais peut-être remercier cette Nana. Mes mains glissent le long de la porte. Impression d'être une bande de papier peint gorgée d'humidité ou de pourriture qui se décolle dans les vieilles maisons à vendre. J'arrive à m'asseoir. Je m'allonge sur le parquet, substitut de cercueil tout juste accordé à celui qui n'a pas su mourir.

Et qui se demande, surtout, où il a déjà vu cette fille — car je l'ai déjà vue, j'en suis sûr. Voisine ? Désolé, celle que je connaissais est une très vieille femme. Morte ? Peut-être bien, elle a plus de quatre-vingts ans et se promène avec un appareil respiratoire dissimulé dans un cabas à roulettes. Je veux bien avoir été distrait ces temps-ci, un peu absent aussi, avoir ignoré qu'elle avait passé l'arme à gauche et ce n'est pas très *civilisé*, j'avoue, mais je sais que si j'avais croisé cette fille dans l'ascenseur ou le hall d'entrée, je m'en serais souvenu.

Et puisque je me souviens d'elle, c'est que je l'ai vue ailleurs.

Retour à Paz

Quand j'ai rouvert les yeux, je n'ai d'abord vu qu'elle. Plongeant vers moi, masque plaqué sur le visage, le bras tendu et armé d'une pointe acérée qu'elle dirigerait vers ma gorge s'il n'y avait pas ce poulpe entre nous, auquel elle ne laisse aucune chance.

Elle a le muscle tendu, la fesse galbée, la respiration bloquée. Elle est intacte, surtout. Enfin intacte.

C'est une statue. Une chasseresse sous-marine. La statue qu'adorait la femme que j'adorais.

Je me lève difficilement, encore étourdi par les médocs, et je la regarde avec tendresse, ma petite femme de terracotta. Comme chaque fois que je pense à Paz, la boule se forme dans ma gorge et les larmes me viennent. Des larmes épaisses, corrosives, qui m'empêchent de respirer.

Réparée, restaurée, reconstituée, la statue peut désormais s'ébattre à sa guise dans son haut vase de verre, au fond duquel, sur une constellation de petits galets, somnole une minuscule étoile de mer.

Elle chasse en majesté sur l'enfilade de l'entrée, et c'est pourquoi ma voisine, comme tous mes visiteurs, n'a pu la manquer.

Cette statue, un jour, a été brisée. Bêtement. En Italie d'où elle venait. Et d'où il n'est pas exclu que puissent venir, aussi, les yeux verts pailletés d'or de ma voisine. Je crois en effet les avoir vus là, pour la première fois. Il me faut maintenant rassembler mes souvenirs pour en avoir le cœur net.

*

C'était quelques mois avant que Paz ne tombe enceinte, ou plutôt que ça se voie. Nous étions ensemble comme chaque été sur cette côte amalfitaine qui, à une heure de Naples, prend des airs de forteresse bâtie au-dessus de la mer.

Une amie nous avait donné rendez-vous avec son compagnon dans une cave à vin de Positano. Nous y prendrions quelques verres et, après avoir contemplé le soleil s'abîmant dans les flots devenus orange, nous irions dîner tous les quatre.

Chez Claudio, il y avait de très bons breuvages. Il y avait aussi une sirène qui prenait son bain. Une statue haute de cinquante centimètres, allongée dans une baignoire blanche en céramique posée sur quatre pieds de métal terminés par des pattes de fauve. Tout son corps, jusqu'à la queue verte qui crevait la surface de l'eau, était en terre cuite, à l'exception de sa chevelure, un gros morceau d'éponge naturelle, teint en pourpre.

Elle avait les seins pointus, une bouche rouge, des yeux d'icône orientale. L'alcool donnait des ailes à mon imaginaire. Je tournais autour du charmant petit monstre et me perdais dans les eaux de son bain : à quoi ressemble le sexe d'une sirène ? Est-ce déjà le poisson ? Ou est-ce encore la femme ?

Je devais la revoir le lendemain. Le lieu y était propice. Paz était attendue aux Galli. Trois crocs perçant la mer, connus aussi sous le nom d'îles Sirénuses depuis que le géographe grec Strabon en avait fait la demeure des sirènes.

Une maison s'accrochait aux rochers, entourée de pins, d'oliviers et de jardins en terrasses. Noureïev y avait habité, Greta Garbo aimé. Le *Marlin*, un yacht ayant appartenu à John Fitzgerald Kennedy, où il avait appris, en 1961, l'érection du mur de Berlin, y mouillait, colonisé par une escouade de jeunes gens beaux et sans soucis qui après le bain s'allongeaient sur le pont de teck pour s'offrir au soleil. L'eau perlait sur les poitrines adolescentes ; les rires crépitaient. Isabella, la propriétaire des trois îles, très belle femme de cinquante ans, aurait pu jouer les impératrices dans un péplum. Elle portait un lourd collier de lapis-lazuli qui mettait en valeur sa peau de brune, à moins que ce ne fût le contraire, le bijou brillant davantage au contact de ce buste éclatant de santé. Elle organisait un festival d'art contemporain dans l'île de Stromboli et avait convié Paz pour lui en parler. « Des performances explosives dans le souffle du volcan », expliquait-elle en nous faisant servir des beignets de fleurs de courgette. Elle souhaitait que Paz se joigne au feu d'artifice avec son travail photographique. Deux membres du groupe Django Django viendraient en résidence pour y effectuer des recherches sonores. Pourquoi ne pas former une « alliance artistique » ? Nous avons pris place à table, sur une terrasse qui surplombait la mer, d'où les yachts ressemblaient à des moutons paissant sur une prairie bleue. Un déjeuner composé, côté mets, de tomates de toutes les couleurs, d'un carpaccio de bar, d'une glace à l'anis et, côté invités, d'un styliste romain et de son compagnon français, d'une créatrice de bijoux new-yorkaise et de son mari avocat, et d'une femme d'affaires parisienne dont le mari nutritionniste m'avait annoncé que j'allais crever dans l'année si je ne réduisais pas ma consommation de café. Paz, qui était de plus en plus sollicitée, réservait sa réponse. J'étais allé à Stromboli des années plus tôt et me rappelais les explosions du volcan qui à intervalles réguliers électrisaient la nuit. J'y étais allé seul, et serais volontiers retourné avec elle voir la lave rougir sous les étoiles avant de redescendre vers le village en nous laissant glisser sur le tapis de cendres que les siècles avaient transformées en sable noir. Il y avait de très bons calamars frits dans le restaurant du débarcadère, et avec un peu d'imagination on pouvait se mettre dans la peau de Rossellini et d'Ingrid Bergman.

Il faisait bon. Il faisait calme. Une langueur agréable courait dans mes membres. Le charme de l'endroit opérait et sans le café, *ristrettissimo*, je me serais volontiers assoupi.

« Alors c'est vrai, c'était la demeure des sirènes, ici ? demanda la New-Yorkaise.

— Si vous saviez, Joan… », répondit en souriant le mari de notre hôtesse, carrure de bon vivant, visage rond orné d'une barbe poivre et sel et lunettes cerclées de métal. Il avait longtemps enseigné à l'université et tout le monde l'appelait « *Professore* ». Il commença à raconter l'histoire des trois îles, et bientôt la tablée le pressa de questions. « *Aspettate !* » nous lança-t-il. Il se leva et revint avec un in-quarto sous le bras, à la reliure ocre, qu'il ouvrit avec un sens consommé de la dramaturgie. Les feuilles étaient épaisses, l'odeur préhistorique. « C'est l'*Encyclopédie* de Diderot et d'Alembert, dit-il, écoutez bien, article "Sirénuses"… »

Son épouse soupira. Il ne releva pas, s'éclaircit la gorge et se mit à lire d'une voix de stentor qui fit rire les convives, surtout quand il se mit à prononcer les « oient » en « waient », selon les règles de l'ancien français : « "Les anciens les appeloient Sirénuses, ou les îles de Sirènes, parce que Parthénope, Ligée, et Leucosie, trois fameuses courtisanes, les avoient habitées. Ces femmes avoient toute la beauté, toutes les grâces, et tous les agréments imaginables ; leur voix étoit belle et mélodieuse ; c'étoit aussi par tous ces artifices, et surtout par leurs chants, qu'elles charmoient ceux qui passoient près de là. Les nautoniers qui n'étoient pas assez sur leurs gardes…"

— Les quoi ? demanda le styliste.

— Les marins, si vous préférez. "Les nautoniers qui n'étoient pas assez sur leurs gardes…", reprit-il.

— Carlo, tu es obligé de prendre l'accent ? fit remarquer sa femme.

— C'est comme ça qu'on dit, ma chérie », explique-t-il avec un grand sourire. Avant de reprendre :

« "Les nautoniers qui n'étoient pas assez sur leurs gardes se trouvoient tellement épris de curiosité, qu'ils ne pouvoient s'empêcher de descendre dans cette île fatale, où, après des plaisirs illicites, ils éprouvoient la dernière misère. C'est pour cela que les poëtes ont feint qu'Ulysse devant passer auprès de ces écueils, avoit eu la sage précaution de boucher avec de la cire les oreilles de ses compagnons, pour qu'ils n'entendissent point la voix de ces trompeuses sirènes." » Il s'interrompit. « Bon, ça vous connaissez… Mais écoutez bien la suite.

— Mais c'est vous la sirène, *Professore* ! Nous sommes suspendus à votre chant… », lança le styliste, flatteur ou moqueur, ce qui revient au même.

Je trouvais, moi, ce vieil homme délicieux. Cabot, il sourit et reprit : « "On dit que les anciens habitants de ces îles avoient coutume d'adorer les sirènes, et de leur offrir des sacrifices ; & même on veut que du temps d'Aristote il y eût encore dans cet endroit un temple dédié aux sirènes. L'une de ces îles porte aujourd'hui le nom de Galli ou Gallè." Vous voyez, on y est…

— *Amazing*, dit la créatrice. Mais pourquoi le nom des îles a-t-il changé ? Sirénuses, c'était bien.

— Haine du merveilleux, répondit l'homme.

— Le texte que vous avez lu, Carlo, parle de "plaisirs illicites", releva le styliste. C'étaient des sirènes ou des *puttane* ?

— Pas n'importe lesquelles en tout cas, précisa à raison son compagnon. Elles avaient "tous les agréments imaginables", dit le texte. Visiblement, de grandes professionnelles…

— En fait, ici c'était une sorte de bordel de luxe, osa le nutritionniste.

— *Grazie*, Jean-Louis », décocha Isabella, ce qui fit rire la tablée.

L'atmosphère était bon enfant. Un garçon apporta le limoncello et l'Amaro del Capo dans des petits verres glacés.

« "Tous les agréments imaginables", mais aussi "la dernière misère", fit alors remarquer mélancoliquement le nutritionniste en piochant avec sa fourchette un morceau de melon dont le jus brilla ensuite sur son menton.

— Elles devaient être ruineuses, lança Paz.

— Ou bien ils en tombaient amoureux fous et dépérissaient, proposa la créatrice, portant sa tasse à ses lèvres et faisant tinter ses jolis bracelets de bakélite turquoise, parcourus de fils d'or.

— J'admire ton romantisme, Joan, dit Isabella. La "dernière misère", c'était peut-être tout simplement la blennorragie.

— Ce que tu peux être rabat-joie, déplora son mari.

— Et toi vivre dans un autre monde. »

Un froid inattendu venait de tomber sur les bienheureuses Sirénuses. On se resservit pour faire passer l'orage. Les verres s'entrechoquèrent et les breuvages sucrés coulèrent à nouveau dans les gorges.

« En tout cas, pour être ensorcelantes, ces trois filles étaient probablement plus chair que poisson, résuma l'avocat.

— Et voilà comment les hommes forgent leurs mythes », conclut le nutritionniste en portant son verre à ses lèvres.

Le *professore* referma le livre et sourit tristement. On n'en avait cependant pas terminé.

« Et le temple, au fait, personne ne l'a trouvé ? s'enquit le styliste.

— Il faut croire que non… Ce n'est pourtant pas faute de l'avoir cherché, reprit le professeur. On parle même d'une société secrète qui aurait regroupé tous ceux qui, depuis des siècles, se sont mis en quête du lieu mythique.

— Elle avait un nom ?

— La Société des amants de la Sirène.

Noureïev en aurait fait partie. Est-ce pour cela qu'il s'était installé ici ? Mystère.

— Mon mari fantasme, dit la maîtresse de maison. Cela fouette ses vieux sens. »

Comme je le comprenais… L'immense étendue bleue, transpercée par les deux crocs qui nous faisaient face, et qui devaient receler bien des cavités sous-marines, prêtait en effet à toutes les rêveries érotiques.

« Tu sais bien que je l'ai déjà, ma sirène », répondit-il en lui lançant un clin d'œil appuyé, d'une grande tendresse.

Elle lui sourit. Ils étaient beaux, tous les deux. J'ai jeté un regard à Paz. Elle s'ennuyait.

Isabella, qui avait dû le remarquer, proposa une baignade. Des masques et des palmes étaient disponibles dans le garage à bateaux.

« J'ai encore une question, osa la New-Yorkaise.

— Joan, on a chaud…

— Juste une dernière question, Isabella. Mais allez-y, on vous rejoint. » Elle passa sa main dans ses cheveux. « Ils cherchaient quoi, au juste, ces amants de la Sirène ? Pas juste une grotte ? »

Personne ne bougea. Le *professore* se crut autorisé à poursuivre.

« En effet. Ils cherchaient quelque chose que les sirènes étaient censées posséder, et qui n'a pas de prix… Bien mieux que les secrets d'un Kamasutra exceptionnel. » Le vieil érudit marqua une pause. Ses yeux brillaient. « Quand on lit attentivement le texte de l'*Odyssée*, on s'aperçoit que ce n'est pas seulement un chant mélodieux que les sirènes promettent à Ulysse. Celui qui l'a entendu, disent-elles, "s'en va charmé et plus savant". Et que savent-elles ? "Όσσα γένηται ἐπὶ χθονὶ πουλυβοτείρῃ" : que "tout ce qui advient sur la terre féconde"…

— Elles ont le don de connaître l'avenir ?

— Oui. Et c'est certainement pour ça qu'on leur a voué un culte et qu'un temple leur a été dédié…

— Eh bien allons le chercher ! lança le styliste.

— Oui, embraya le nutritionniste, excité par le limoncello, sus à la grotte !

— Jean-Louis, je t'en prie », dit son épouse. Tout le monde avait trop bu.

Je ne savais plus où j'avais mis le sac contenant mon maillot de bain, et j'étais en train de le chercher dans la maison lorsque je remarquai une porte entrouverte d'où émanait une lumière intense. Je la poussai doucement. La pièce, éclairée par le soleil qui entrait par un grand hublot fermé par un vitrail, était entièrement couverte de faïence bleu foncé, sol, murs et plafond. Pour tout meuble, un vaste lit, également bleu. Et, au-dessus de celui-ci, une créature à taille humaine, qui sortait du mur. Il lui emprisonnait le bas des hanches et elle donnait l'impression de tendre les bras vers le dormeur, pour qu'il l'aide à en sortir, ou pour l'attirer de l'autre côté. Deux seins blancs et ronds saillaient sur son buste recouvert, à mesure que le corps s'encastrait dans le mur, d'écailles.

La petite sœur, ou plutôt la grande, de la sirène aperçue chez le marchand de vins. Car elle possédait la même chevelure en éponge naturelle, brûlée par le soleil. Un incendie pétrifié.

« J'adore m'y allonger après le déjeuner… »

Je sursautai. C'était le professeur.

« Qui l'a faite ? » demandai-je en désignant la statue.

Son sourire s'accentua. « C'est mon ami Fabio. Très bon artiste. »

Voulais-je le rencontrer ? Il travaillait tout près d'ici, dans le petit village de Marina di Praia. Son atelier était aménagé dans une tour. Il avait connu toute la jet-set des années 70 qui allait danser juste à côté, dans une boîte de nuit où l'on ne pouvait arriver que par bateau. Il m'expliqua comment y aller et me demanda, désignant le lit : « Vous êtes sûr que vous ne voulez pas faire un petit somme ?

— Ma femme m'attend.

— Vous avez beaucoup de chance. »

J'ai rejoint Paz près du *Marlin*, où les jeunes, qui avaient étalé sur la jetée une pleine moisson d'oursins, en ouvraient la bogue au canif. La chair orange luisait dans le soleil. Devant ces jeunes corps je me sentais vieux et transparent. « Enfin tu es là », me dit-elle en se redressant, son maillot moulant sa poitrine glorieuse que les adolescents auraient volontiers désemprisonnée au jugé de leurs regards insistants. Elle avait une force de séduction que je n'aurais jamais.

« C'est un peu con, au fond, ces histoires de sirènes, dit-elle.

— Pourquoi ?

— La femme prédatrice, perdant l'homme par ses chants d'amour. Toujours le même cliché. Si en plus les sirènes n'étaient que des *putas* sublimées par de pauvres types frustrés par des semaines de privations sexuelles, franchement…

— Mais tu n'as pas écouté la fin. Cette connaissance qu'elles promettent, ce savoir total…

— La connaissance, le savoir. On ne sait jamais rien, César. Hélas, on ne sait jamais rien. »

Elle ne croyait pas si bien dire.

Elle s'est jetée à l'eau. Je n'ai plus vu que de l'écume.

La Société des amants de la Sirène

Nous l'avions trouvée, la grotte. Enfin, nous nous plaisions à le croire. C'était au retour de notre expédition chez le sculpteur.

Ce jour-là, j'avais loué une longue barque à moteur.

« On va où ? — Tu verras bien, *mi amor.* » Autour de son cou, le boîtier de son appareil percuté par les rayons du soleil lançait des éclairs quand elle ciblait la côte, invraisemblable paroi où s'accrochaient de ravissants petits palais reliés à la mer par des volées de marches.

Marina di Praia était un port minuscule niché entre deux pans de falaise. Au débarcadère, un kiosque proposait des glaces au citron, les gros citrons de la montagne qui pendent, lourds de chair et de jus, dans l'ombre verte des branches. On s'en est régalés avant d'attaquer le sentier qui menait à la tour dont la silhouette se découpait sur le bleu du ciel matinal. Des gamins sautaient de la falaise en poussant de grands cris. Quinze mètres plus bas, la forme des rochers se dessinait sous l'eau. Il fallait viser juste. Leur grâce défiait la mort ou la paralysie à vie. Paz s'arrêta. L'un d'eux, plus âgé, apercevant l'étrangère, s'avança jusqu'à la limite de la pierre et se retourna, dos au vide. Sa poitrine exhibait, à même pas seize ans, un cœur stylisé percé d'un poignard. Il la regarda. Ses dents étincelèrent dans le soleil. Elle saisit son appareil et le visa. Il lui fit une sorte de révérence, puis sauta dans le vide. Il exécuta une vrille parfaite et trancha la surface presque sans bruit. Quand sa tête réapparut, Paz applaudit. Il leva le bras vers elle pour un dernier salut et d'une pirouette de canard disparut dans l'océan. « Tu as eu peur ? » me lança-t-elle.

Une femme chevauchant un calamar. Voilà comment le sculpteur signalait, sur une plaque modelée par ses soins, que l'étranger était entré dans son domaine. « C'est sportif », commenta Paz. La tour était devant nous. Une tour de château de sable, à moitié écroulée au fond d'une jungle de figuiers de Barbarie et de citronniers dont le parfum se mêlait à celui des embruns. Sous nos pas craquèrent bientôt des formes étranges. Un bras minuscule, la moitié d'une tête. Des tessons de poterie. Devant la porte, un personnage à la peau très noire, la tête ceinte d'un turban jaune et rouge, serrait, cul par-dessus tête, une blonde nue et rose. Un rappel de l'histoire de ces tours, érigées au XVe siècle pour prévenir les incursions des pirates barbaresques qui razziaient les villageoises pour les vendre sur les marchés d'Alger. J'ai frappé à la porte, entrouverte. Paz n'a pas attendu et l'a poussée. Sur les étagères, sculptés dans l'argile, tout un bestiaire marin, poissons, poulpes et dauphins, et les fameuses femmes à la chevelure d'éponge, vertes, mauves, ou d'un bleu abyssal. Dressé sur ses quatre pattes bourdonnait le four électrique où leur corps se solidifiait. Quelques marches menaient à un renfoncement de la muraille, au fond duquel était percée l'unique et vaste fenêtre, ouverte sur la mer. Le sculpteur y avait installé une table avec son tour de potier environné de pots de peinture, de fragments de corail rouge et de pinceaux qui trempaient dans des demi-bouteilles de plastique.

Je comprends immédiatement que Paz est captivée : elle ne dit mot, et ne lâche pas du regard le plafond d'où jaillissent un escalier en spirale et une armée de plongeuses d'argile. Suspendues par des fils invisibles, elles semblent crawler vers nous, un bras tendu, l'autre contre leur hanche, dédoublées par leur ombre qui joue sur les murs blanchis à la chaux.

« *Estupendo…* », murmure-t-elle.

De l'homme qui descend l'escalier, nous ne voyons d'abord que les mocassins tressés puis les mollets à la peau mate, le short blanc et enfin le reste : un torse nu et bronzé où dansent croix, piments napolitains et autres amulettes, un visage à la barbe et aux cheveux blancs.

« *Buongiorno* », lance-t-il.

Cinquante-cinq ans, peut-être soixante. L'œil joueur. « Que puis-je faire pour vous ? » J'ai expliqué, le marchand de vins, les Galli, les sirènes… « Ce bon vieux Carlo… » Il sourit pour lui-même. « *Caffè* ? »

L'air marin qui entre par la fenêtre et fait tourner les nageuses sur elles-mêmes transforme l'atelier en repaire d'ensorceleur. Celui-ci prélève dans un Tupperware la précieuse poudre marron dont il charge jusqu'à la gueule la petite Bialetti qui ronronne bientôt sur une plaque chauffante. L'Italie…

Le café est amer, puissant. Je considère les créatures qui nous cernent.

« Toujours des femmes, je dis.

— Je suis un homme… »

Et puis, sans prévenir, comme à l'accoutumée, Paz se met à le bombarder de questions. Il répond de bonne grâce, puis de manière passionnée, pigeant qu'elle est espagnole, et déroulant donc en espagnol, par galanterie napolitaine — Naples a longtemps été sous la coupe des souverains d'Aragon, et en garde des traces —, le récit de sa vie de bohème. Elle boit ses réponses et répond à ses questions avec la même gourmandise, dans cette langue qui m'exclut. Ils se sont trouvés. Il lui offre un petit livre, écrit par lui, puis l'invite à monter à l'étage. « Vous aussi naturellement », a-t-il l'élégance d'ajouter. En haut, c'est vertigineux. Trois fenêtres percent les murs tapissés d'images, de gravures, de tableaux, de photos. Des poissons et des femmes. Entre les tableaux, des miroirs de toutes les tailles reflètent le spectacle de la mer, et cette installation donne l'impression que tous ces personnages s'y baignent. Sur le sol dallé, deux meubles seulement, un vieux coffre de marin et un lit en fer.

« Vous habitez là ? demande Paz.

— Non, mais l'après-midi je m'étends là, pour entendre les sirènes.

— Comme votre ami des Galli.

— *Il professore* ? On fait partie du même club…

— Celui des amants de la Sirène ? »

Il ne répond pas.

« Une espèce rare…, ai-je commenté.

— Détrompez-vous. »

Son œil brille.

Nous redescendons. Paz est dans cet état que je connais par cœur. L'atmosphère l'excite, le sang fuse dans ses artères et donne des couleurs supplémentaires à son visage. Dans l'atelier, pénétrant par la fenêtre, la brise continue à faire danser les nageuses. Ce n'est pas l'une d'entre elles que Paz choisit, mais une chasseresse qui plonge, à la fois athlétique et gironde, dans un grand vase de verre. Les jambes potelées de la petite créature sont encore à l'extérieur, elle vient de crever la surface de l'eau, figurée par une collerette de verre bleu qui entoure ses hanches et obture le vase. Le haut de son corps est à l'intérieur, visage masqué, buste voluptueux et bras charmants, dont le droit, tendu, armé

51

d'un dard, plante le poulpe, de terracotta lui aussi, qui nage sur le fond semé de sable, de petits coquillages et de galets. Fabio suit le regard de Paz et s'approche de la petite femme d'argile. Il la sort du vase et la retourne. Maintenant, ce sont ses jambes qui sont à l'intérieur, et le haut de son corps qui en émerge, tête vers le ciel, brandissant triomphalement, à l'air libre, la proie bien empalée. Paz sourit.

« *Bella nuotatrice*, dit le sculpteur. Un hommage à Esther Williams.

— Qui est-ce ? demande Paz.

— La sirène d'Hollywood, je réponds.

— Une nageuse de compétition, corrige Fabio. Championne du cent mètres nage libre. Ensuite, c'est vrai, elle a fait des films. C'était elle… » Il va chercher une photo posée dans un cadre près de son tour de potier. Une longue femme brune prend la pose, en bikini, assise sur un podium où on lit ces trois mots : *Dangerous when wet*.

Paz voulait emporter sa nageuse, mais le sculpteur nous persuada que ce n'était pas très prudent avec le trajet en bateau et suggéra de le laisser nous l'expédier. Elle nous arriverait d'ici à quelques semaines, dans le plus sûr des emballages.

*

C'est au retour que nous avions découvert la grotte. Une fente horizontale dans la falaise de calcaire, une mâchoire buvant la mer. Difficile à voir, car la paroi, tous les quinze mètres, était percée d'orifices par où l'écume se faufilait. Mais cette ouverture-là était plus large, et précédée par une petite cascade. Elle donnait à boire aux quelques plantes qui s'accrochaient à la roche et rafraîchissait la mer de quelques degrés. Nous avions jeté l'ancre et prenions un dernier bain avant de rentrer à la pension lorsque nous avions senti la différence de température. La mâchoire, alors, avait attiré notre regard. Nous avions nagé jusqu'à elle et, après une profonde inspiration, nous étions glissés sous l'eau avant de reprendre notre souffle, de l'autre côté, dans une piscine naturelle bordée par un lit de galets gris clair, éclaboussés d'une lumière qui semblait provenir d'un soleil interne à la grotte. « *Increible !* » avait lancé Paz dans un murmure enthousiaste. Nous nous étions allongés sur les galets. L'eau d'un vert bleuté semblait flamber. La respiration de Paz était amplifiée par l'écho. Transporté par la beauté et la force du moment, j'avais dénoué son maillot en crochet et posé la main sur le bombé de son sexe.

« Pas maintenant, m'avait-elle dit soudain.

— Pas maintenant… ou pas ici ? »

Elle avait tourné la tête vers moi. Sa bouche humide était à dix centimètres de la mienne.

« Pas ici. Restons humblés. »

Encore une de ces phrases paziennes qu'il fallait décoder.

« Pardon ?

53

« — C'est le temple…

— Je croyais que tu trouvais ça *con* ?

— Souvent femme varie.

— Tu m'emmerdes, Paz. »

Mes doigts avaient repris leur exploration, avec succès cette fois. Nos soupirs s'étaient mélangés, bientôt avalés par le bruit assourdi des vagues.

« Chut… », avait-elle dit, posant un index sur ses lèvres.

J'avais glissé sur le côté. Ses yeux noirs étaient braqués sur le plafond. Travaillé par le temps, le sel et les gouttes d'eau qui infiltraient la roche depuis des millénaires, il avait pris des teintes roses.

« Regarde, c'est sculpté.

— Oui, c'est sculpté, dis-je en effleurant la pointe de ses seins.

— Arrête, César, regarde bien. »

À mon tour, je me suis mis sur le dos. Elle avait raison. En faisant un petit effort de concentration, on pouvait voir des visages. De face, un mage barbu aux yeux plissés, attentif ou en colère. Un profil de femme, aussi, à la chevelure compliquée, bouche ouverte, comme prête à nous livrer quelques antiques secrets. Et puis d'autres. La silhouette d'une jeune fille nageant. Un homme accroupi, les bras levés comme s'il devait tenir, de sa seule force, la falaise tout entière.

« C'est l'érosion, lui dis-je, et les jeux de la lumière sur la roche. »

Était-ce si sûr ?

Un frisson courut sur sa peau.

« Qu'est-ce qui t'arrive ?

— Viens. » Elle se redressa, encore nue, son maillot à la main, et m'entraîna vers le fond de la grotte.

Un passage s'y ouvrait, où elle entra. Sur trois ou quatre mètres, il fallait se glisser entre deux parois espacées d'une quarantaine de centimètres. « Paz, tu es sûre ? » Elle ne répondit pas. Je suivis, le cœur battant. Je n'étais pas dingue de spéléologie, j'étouffais vite. Au bout, je la vis grimper. J'ai suivi. La roche était glissante, brune, imprégnée d'un vif parfum de sel et d'algue. Le grondement des vagues s'amplifiait, comme si la mer voulait venir à bout de sa rivale la pierre. Reprendre le terrain perdu.

« On va où, là, Paz ? Fais gaffe quand même… »

Je ne la voyais plus.

« Un peu plus loin, j'aperçois de la lumière, répondit-elle, à quelques mètres de moi.

— Paz, c'est dangereux. Il doit y avoir tout un réseau de tunnels là-dessous. On va se perdre.

— Ça y est, tu as eu ce que tu voulais, et tu redeviens grognon ? »

Sa voix était distante.

« Tu es où ? »

En tâtonnant, j'avais remarqué qu'on ne pouvait monter davantage. Il y avait une surface à peu près plane, puis une légère déclivité.

« En bas. Descends sur les fesses, c'est glissant. »

Raté pour l'héroïsme. Il n'empêche, je me suis exécuté. Un ruisseau serpentait sur la roche et débouchait sur une autre plage. La lumière était revenue, éclairant un croissant de cailloux blancs ouvert sur la mer. Paz s'est mise à danser, toujours nue, exultant de la découverte de ce passage secret. Elle prit une voix languide qui faisait traîner les syllabes…

« Je suis la sirène, je suis la sirène… prends-moi, jeune *nautonier*… »

… et colla contre moi ses fesses rebondies, humides, salées et légèrement chairdepoulesques.

Dangerous when wet.

*

Un mois après, le colis arrivait à Paris. Quand elle vit le nom de l'expéditeur, Paz se rua sur le carton, un cutter à la main. « Ma *nuotatrice*, ma *nuotatrice* ! »

Elle dépeça l'emballage, se débarrassa des quatre couches de carton, trancha net le papier bulle et laissa échapper un « *joder !* » retentissant.

Interdite, elle se tenait la tête dans les mains.

J'approchai. C'était un carnage. Sur un lit de bulles de polystyrène gisait une femme tronc. Du disque de verre qui entourait ses hanches, et qui imitait la surface de l'eau, ne restait plus que des éclats, des poignards bleutés. Le bloc jambes reposait piteusement à quelques centimètres. Le voyage de la côte italienne jusqu'à Paris avait été fatal à la nageuse.

J'appelai le sculpteur. Il était désolé, cela n'arrivait jamais. Il était tout à fait prêt à la réparer mais il lui fallait la statue, qu'on la lui réexpédie, il la renverrait ensuite. En l'entendant jurer, j'ai tourné la tête et vu Paz observant sur sa paume trois petits fragments d'argile. Trois doigts de la nageuse, bruns et brisés, eux aussi. « Il propose qu'on la lui renvoie. » Elle m'a arraché le téléphone des mains et a hurlé : « Et si elle casse encore ? On ne va jamais en sortir. Vous nous aviez dit que c'était sûr. Je ne vous crois plus. » Elle raccrocha.

« Tu ne vas quand même pas lui demander de venir ? tentai-je.

— Et pourquoi pas ? C'est sa faute ! Rappelle-le, insiste. »

Cela devint une obsession. Paz n'était pas seulement affreusement déçue, elle voyait dans l'incident un mauvais présage, le mauvais œil. « Arrête, c'est n'importe quoi », lui disais-je. Je rappelai. Le sculpteur n'en démordait pas. Si nous voulions qu'il la répare, il lui fallait la statue.

« On aurait dû la prendre avec nous ! se lamentait Paz, et ne pas la lui laisser.

— On était en bateau, il nous a dit qu'elle était fragile.

— Ça, on a vu.

— Je peux lui en commander une autre, à l'identique ?

— Non, il faut que ce soit celle-ci. Il faut qu'il la répare. »

Paz ne s'accrochait pas à ses biens. Pour elle, ce qui était matériel était transitoire. Mais cette statue n'était pas une statue, c'était le témoignage d'un moment de grâce stupidement gâché, et qu'il fallait donc réparer aussi vite que possible pour qu'il soit restauré. La nageuse avait pris valeur de symbole.

« Il va la réparer. Je te le jure. »

Le sculpteur, que je harcelais, finit par céder et proposa de venir la réparer lui-même quand il serait de passage à Paris. Il y avait des amis. Malheureusement, il fut ensuite aux abonnés absents. Paz ? Morne. Puis dans le reproche : je n'avais pas fait le nécessaire. Je n'avais pas été assez ferme avec l'artiste.

Les mois passèrent. Puis les années. Notre fils était né, on avait oublié la nageuse, remisée à l'abri des regards, et Paz mourut dans ce stupide accident.

J'ai commencé à y voir un lien.

Communiquer

Pendant les deux ans qui ont suivi la mort de Paz, je n'ai pas voulu l'accepter. Je guettais un signe. Et en recherchant, un dimanche soir, une couette plus confortable pour notre fils qui grandissait, je suis tombé sur le carton. Dans les placards du bureau, posé sur la petite cantine birmane qui abritait les dernières planches-contacts de Paz.

Je l'ai sorti de sa cachette. J'ai enlevé le scotch, découpé le papier bulle. Le contraste entre le visage résolu de la nageuse et ses hanches brisées m'a fait mal au cœur. Six ans après, le remords me poignardait. Et si tout cela avait été ma faute ? Cette statue m'unissait à Paz, transportait avec elle tout ce que Paz aimait, l'eau et le soleil, la grâce et le mouvement, le sel et le vent.

« C'est quoi, Papa ? » m'a demandé mon fils, me surprenant alors que je la contemplais. J'avais sursauté. Il avait quitté son lit, il était debout, pieds nus dans son pyjama à rayures, tenant par la patte Grosoiseau, son doudou jaune poussin, dont les pattes orange traînaient par terre.

« Un souvenir.

— C'est quoi, un souvenir ?

— Rien… », j'ai dit, renonçant à expliquer, paralysé que j'étais par la peur de fondre en larmes devant lui. Il est retourné se coucher sans un mot.

Et c'est ainsi que, de façon totalement absurde, je me suis mis en tête que la réparation de la statue était une nécessité absolue, pour elle, pour nous, que ce serait réparer l'affront du sort, accomplir un acte propitiatoire dont quelque chose de bien, forcément, surgirait. Elle aimerait cela, elle m'enverrait un message. Répondrait enfin à la seule question que je me posais : avait-elle, oui ou non, eu l'intention de revenir de ce voyage ? Ce qui induisait : comptions-nous vraiment pour elle ?

Lorsque la personne que je continuais à voir deux fois par semaine pour « parler et faire le deuil » m'entendit lui confier mon projet, et que je perçus sa gêne, je n'en fus que plus motivé.

D'autant qu'on avait tout essayé, notamment la « révolutionnaire » IADC. L'*Induced After-Death Communication*, en français « communication induite avec les défunts », était née des travaux menés sur les soldats américains qui revenaient du Moyen-Orient en état de stress post-traumatique. Tout partait de l'œil, qui devait se concentrer sur un souvenir et sur le doigt du thérapeute. Le mouvement oculaire rapide de balayage avait la propriété de mettre le patient en « état de conscience modifiée » et de permettre au cerveau de « retraiter inconsciemment les données ». Encore une fois, c'étaient ses mots, et celui-ci, « données », me blessait. Quand il se focalisait sur une image du défunt, « l'endeuillé » pouvait entrer en communication mentale avec lui. Et ce dernier lui révélait parfois des vérités très précises, « comme la localisation d'une assurance-vie dont le vivant n'avait pas connaissance ».

« Ce n'est pas vraiment ce que je recherche, une assurance-vie, avais-je coupé.

— C'est un exemple. Pour vous montrer que cela n'a rien d'une hallucination. On ouvre simplement nos canaux de perception à d'autres niveaux de réalité. Ce sont parfois des messages d'amour, des réponses à des questions que le vivant se pose. Et qui le culpabilisent. Ça marche très bien avec les gens qui ont perdu un proche dans un attentat.

— Ma femme n'a pas été assassinée par Daech, elle s'est noyée. »

Le psy n'avait plus rien ajouté. M'avait mis entre les mains du « ponte » de la technique « révolutionnaire ».

Les résultats qu'il avait obtenus étaient sidérants. Sauf sur moi. Silence total de Paz.

Restait donc la statue. La dernière chance. J'ai ôté un par un les restes de brisure, qui lui faisaient aux hanches une ceinture coupante et lui auraient interdit le voyage aérien. Je l'ai ensuite emmaillotée dans plusieurs couches de papier bulle, puis dans trois serviettes de plage. Je n'ai pas oublié la boîte à fond de teint, remplie de coton, qui contenait les trois doigts de sa main gauche, si fins, si bruns, et j'ai posé ce reliquaire à côté du corps dans une valise cabine. J'ai pris un billet pour Naples.

J'ai entamé mon pèlerinage.

Réparer la statue

À Naples, la chaleur brûlait les poumons et les poubelles débordaient. J'ai sauté dans un taxi. Jusqu'à Sant'Egidio, ça roula. Mais lorsqu'il fallut descendre la montagne pour rejoindre la côte, la déconvenue apparut dans toute sa superbe : un serpent rutilant d'automobiles inertes sur lequel fondaient sans pitié les rayons du soleil.

Le chauffeur m'a demandé si je voulais de la musique. Andrea Bocelli s'est mis à ténoriser dans l'habitacle :

> *Con te partirò*
> *Su navi per mari*
> *Che, io lo so*
> *No, no, non esistono più*
> *Con te io li vivrò*

Je regardais les citronniers et les maisons perchées à flanc de falaise. Tout ce petit monde semblait hésiter à se jeter dans le vide.

« Vous avez quoi, là ? »

Dans le rétroviseur lesté par une dizaine d'amulettes, le chauffeur a désigné du menton, sur mes genoux, la statue emmaillotée. Pour lui éviter les possibles cahots de la route, je l'avais retirée de sa valise. « On dirait que vous tenez un *bambino*. »

Sorrente, Sant'Agata sui Due Golfi, Colli di Fontanelle, Positano, Laurito, Vettica Maggiore… Enfin, Marina di Praia. La tour était en vue, se détachant sur le bleu de la mer. La voiture a quitté la route et dévalé un chemin presque à pic. Mon conducteur avait confiance en ses freins. Lorsqu'il s'est arrêté, la tour s'offrait, à quelques pas. Revoir les lieux m'a bouleversé. Il y a six ans, Paz était à mes côtés. « Vous m'attendez là, s'il vous plaît ? »

J'ai pris le *bambino*, refermé la portière. À nous deux, Fabio.

Le parfum des citrons se mêlait à celui de la mer. La porte était ouverte. Je suis entré. Assis à sa table, il fixait du corail rouge sur la tête d'une sirène.

« *Buongiorno.* »

Il n'a même pas sursauté. Il m'a reconnu aussitôt. Il avait maigri. J'ai posé le « bébé » sur la table ronde. Les nageuses crawlaient toujours depuis le plafond. J'ai déroulé avec douceur la serviette, puis commencé à déchirer le papier bulle.

« Attendez », a-t-il dit doucement. Il est allé prendre des ciseaux et s'est mis à l'œuvre. On aurait dit qu'on désincarcérait un accidenté de la route de sa prison de tôle.

La nageuse est apparue. « En effet, a-t-il dit.

— Pourquoi vous n'avez plus répondu ? ai-je demandé en fixant ses yeux cachés derrière ses lunettes.

— J'ai été très malade.

— Ah oui ? »

Il n'avait pas bonne mine. Mais l'air sincère. « Les poumons. J'ai été hospitalisé… »

Et après une courte pause :

« Ensuite j'ai oublié… Comment va votre amie ?

— Elle est morte. »

Il a accusé le coup. Baissé la tête. Il y a eu un long silence, que j'ai rompu. « Elle voudrait que vous répariez sa nageuse. Comme vous vous y étiez engagé.

— Elle voudrait ?

— Elle voulait…

— Je vous en fais une autre, si vous voulez.

— Non, je veux celle-là. Je reviens dans trois jours. »

J'étais sérieux. Il l'a senti.

J'ai regagné la voiture et j'ai indiqué l'adresse. Notre adresse secrète. Le lieu de notre bonheur disparu où je voulais essayer de la faire revivre, une dernière fois. Je voulais mettre toutes les chances de notre côté.

Le paradis s'annonce par petites touches.

D'abord, tu ne vois qu'une pancarte sur la

route. Mais ni maison ni jardin. Rien. Tu t'arrêtes. Tu passes une grille, tu descends quelques marches. Et là tu sens les parfums. D'abord, ceux du romarin, de la menthe, du thym et du basilic. En profondeur, celui de la mer, dont les vagues dansent, en bas, tu le devines. En note de cœur, les citrons. C'est le pays des citrons. Leur fief absolu. Il y a une première maison, où un solide gaillard aux yeux très clairs, qui s'appelle Gabriele, te donne la clef et empoigne tes bagages en te demandant de le suivre dans une volée de marches qui descendent à pic dans le bleu. La Tyrrhénienne déroule ses plis et replis dans le soleil, qui t'éblouit et décuple l'intensité des couleurs. Tu descends encore et la maison blanche apparaît avec ses volets bleus, son toit ondulé qui dessine le haut de la lettre Pi. Tu te souviens de tout, du paillasson bleu avec l'hippocampe blanc qui marque l'entrée, et du son de tes pas sur le carrelage des couloirs. Tu n'as pas eu à demander la même chambre. Il va de soi qu'elle te revient. C'est votre chambre. Tu sais que tu vas découvrir, au-dessus du lit, le tableau amateur qui représente l'église à dôme d'émail du petit village voisin. La porte s'ouvre, et tu le vérifies. Rien ne change ici, et c'est pour ça que vous veniez. Gabriele ouvre les volets qui donnent sur le balcon suspendu dans le bleu. Combien de fois, d'ici, t'a-t-elle mitraillé alors que tu nageais en contrebas, et que tu l'appelais pour qu'elle te rejoigne ?

Tu as failli fondre en larmes quand il s'est éclipsé. Les dalles fraîches où elle aimait s'étendre quand la nuit était trop chaude. Tu as ôté tes vêtements. Tu t'es immergé sous la douche en regardant la mer par la fenêtre en ogive. Ton corps entre deux eaux. Tu t'es étendu sur le lit et la brise a séché les dernières gouttes. Tu as pensé à elle, et d'autres larmes sont venues, dissipant un instant la tension.

Tu étais de retour dans la beauté. Sans elle.

Ici, on menait une vie toute simple. « La vie de bateau », disait Paz. C'était d'ailleurs une ancienne maison d'armateur. On descendait se baigner, on remontait à la chambre, on redescendait se baigner. On déjeunait sur le balcon de quelques tomates, d'un peu de mozzarella de bufflonne arrosée d'une huile d'olive qui ressemblait à du jus de soleil. Puis la sieste, puis le bain, vers la gauche ou vers la droite, en quête de criques cachées, inaccessibles autrement qu'à la nage. *La vie de bateau.*

J'ai défait les bagages. Est-ce une bonne idée de revenir sur les lieux de l'amour ? Il fait chaud. Je prends une pièce de deux euros dans la poche de mon jean, et je sors. Deux cents marches à flanc de falaise mènent à un solarium de béton qu'on appelle *la spiaggia*. Le chemin vers l'eau est un Golgotha inversé. On y descend sans douleur mais avec un plaisir croissant, et à la fin c'est la même apothéose. Cinq parasols et autant de chaises longues où quelques lianes somnolent dans l'iode et la chaleur, un best-seller tombé de leur main engourdie. Je regarde la couverture effleurée par les longs doigts manucurés. Être lu, c'est être caressé.

Un couple sort de l'eau. L'homme empoigne l'échelle, grimpe, tend la main à la fille pour l'aider. Ils sont jeunes, en pleine santé. Elle ruisselle de satisfaction, sur son maillot des triangles noirs et blancs s'emboîtent les uns dans les autres, comme leurs corps, certainement, dans un quart d'heure.

J'entre dans l'eau. Les sirènes, si elles vivent bien là, doivent nager sous moi. Je repense au déjeuner sur les Galli. Je repense à un verre de champagne à l'hôtel Sirenuse de Positano, je repense à Paz et les larmes reviennent, se mélangent à l'écume.

Je serre dans ma main la pièce de deux euros.

La pièce, c'était pour notre rituel. Notre activité du matin, après l'amour et la lecture.

Par endroits, j'arrive à voir le fond rocheux sous l'eau. La puissance du soleil y orchestre de savants jeux d'ombre.

L'église paraît surgir des flots, portée par une muraille au moins millénaire. Je pense au mont Athos, je pense aux ermites qui m'offraient des loukoums et un verre de raki quand je n'en pouvais plus de marcher. Je contourne l'église, toujours en nageant. J'atteins l'échelle qui relie la plage à la jetée. Il faut attendre son tour. Quand une fille grimpe, les garçons qui barbotent n'en manquent pas une miette. En haut, les écrans des portables aveuglent. Les humains bronzent, facebookent et snapchattent, allongés sur des serviettes aux armes du SSC Napoli. J'atteins le Nettuno, le bar à la devanture blanche creusé dans la roche. Je refais une à une les étapes de notre jeu. La récompense de nos efforts, la carotte de notre baignade. J'entre tout dégoulinant dans l'établissement. Je retrouve le comptoir de bois couvert de présentoirs pour les pastilles Leone à la cannelle, à la réglisse ou *liquirizia*, les préférées de Paz. Sur la double porte, les affiches pour les paninis maison, les séances du cinéma *alle stelle*, en plein air, et les esquimaux du congélateur. J'ai toujours aimé, depuis que je suis gosse, le mot « esquimau ». En lécher un c'était déjà accéder à la banquise, me lancer sur un traîneau tiré par des chiens blancs au regard fou de liberté. Deux gamins me bousculent, ils se poursuivent comme des chats. Luigi a l'habitude. Il a toujours sa tignasse argentée et son air peu affable. Derrière lui, une muraille de bouteilles. Aperol, Martini, Campari. La photo de l'ancêtre, un chapelet suspendu au cadre doré, et la bouée de sauvetage, rouge et blanc, au fond, à côté de la rame bleue.

« *Buongiorno* Luigi. »

Il me prépare les deux boissons dans les deux petits gobelets. *Crema di caffè*. Elle tourne dans son cube transparent, siglé *Antica Gelateria del Corso*, voluptueusement remuée, oxygénée, par les deux spatules de plastique de la machine. Je pose sur le comptoir la pièce de deux euros et ressors avec dans les yeux la mer et le ciel enfin unis. Je m'adosse à la muraille. Je bois mon *caffè*. Puis le sien, doucement. Mon amour. Là-haut, la petite chapelle blanche est toujours posée sur son promontoire. Son toit est arrondi. Autour, les rocs sont couverts de cyprès et de pins couchés par le vent et de ruines de vieux châteaux brisés où s'était réfugié un bandit célèbre. Le village est niché dans le ravin, les petites maisons blanches, ocre et roses semblent s'escalader, se fondre les unes dans les autres, jusque dans les arches du pont qui soutient la route et qu'elles ont fini par remplir. Un labyrinthe d'escaliers, des constellations de fenêtres pavoisées par les serviettes-éponges se déploient jusqu'à la plage où je me tiens, amicalement cerné par les *ragazze* et les *ragazzi* tatoués jusqu'à plus soif. L'Italie dans toute sa splendeur sophistiquée et barbare.

Catalogue des tatouages

Elle aimait ce moment. Dressée devant les corps allongés. Elle aimait cette petite plage. Même face aux poitrines de vingt ans, fruits alertes ou obus, elle gagnait toujours au regar-domètre. Sans avoir besoin de dégrafer son soutien-gorge comme une débutante.

Elle aimait observer les corps. « Ils racontent tant », disait-elle. Son œil captait tout, réagissait à tout. Elle aimait les tatouages. Les peaux pour elle étaient des parchemins, contant l'histoire secrète de notre époque, de ses codes, de ses rêves, de ses illusions.

Qu'aurait-elle déchiffré, aujourd'hui, avec moi ? Je commençai ma promenade visuelle. Les ailes ouvertes juste au-dessus des fesses s'imposaient comme le choix numéro un chez les filles. La signification : saisis-moi par là et envolons-nous ? Chez les garçons, traditionnellement plus terre à terre, prévalaient les motifs à inspiration vague-ment tribale, maorie ou celtique : l'esprit de clan résistait bien, fantasmatiquement parlant.

Je notai aussi avec intérêt, chez les deux sexes, une forte augmentation des tatouages « textuels ». Des phrases. De belles phrases. Était-ce l'indice d'un besoin de romanesque, d'un retour imminent à la lecture, ou l'influence du SMS et de Twitter ? Ainsi ces quarante-deux signes sous le sein gauche d'une brune de quarante ans : *Si vive come si sogna : perfettamente soli.* « Nous vivons comme nous rêvons : parfaitement seuls. »

Voilà encore un livre que nous aurions pu écrire avec Paz : *Le livre des peaux.* À moins d'en faire une annexe à celui que nous avions commencé et qui consignait tout ce que nous avions aimé de l'ancien monde, elle faisant les photos, moi le texte, et que nous avions intitulé *Le livre de ce qui va disparaître…* Car tout cela aussi allait disparaître, et certaines peaux l'annonçaient d'ailleurs avec une lucidité qu'il fallait saluer : *L'amore è eterno finché dura* (« L'amour est éternel tant qu'il dure »), lisais-je sur une nuque où, d'un chignon artificiellement blond, tombaient, naturels, quelques cheveux noirs. On ne cachait pas longtemps la vérité.

Je relevai, c'était encourageant, quelques citations littéraires choisies : sur une omoplate offerte au soleil, *La bellezza salverà il mondo*, « La beauté sauvera le monde ». Phrase suivie d'une parenthèse où se nichait, et c'était élégant en ces temps où le droit d'auteur fondait comme glace Motta au soleil, le nom de l'écrivain, écrit à l'italienne : *(Fëdor Dostoevskij).*

De surprenants attelages philosophiques se défiaient sur le même individu : ainsi, sur l'épaule droite d'une maman que tétait son petit, l'invocation schumpeterienne *To create is to destroy*, « créer c'est détruire », immédiatement contredite par ce message de foi en l'avenir sur l'épaule gauche : *A mio figlio per la vita*, « À mon fils pour la vie ».

De la lisière d'un string surgit une phrase latine : *Iterum rudit leo.* « Et toujours rugit le lion »… Plaisir de ne se savoir comprise que par quelques élus ?

J'étais arrivé au bout de la petite plage. Étendue sur le dos, une jeune fille d'à peu près dix-huit ans somnolait à l'ombre de l'ancre gigantesque qui servait d'emblème à ce village de pêcheurs. *Solo Dio può giudicarmi*, « seul Dieu peut me juger », disait sa cuisse, agrémentée d'une guirlande d'orchidées. Message à elle seule destiné, pour se donner du courage lorsqu'elle s'élançait, le soir venu, dans les promesses de la nuit ? Très compatible, en tout cas, avec la conception de la vie qu'affichait sur ses pectoraux un *ragazzo* posté à deux mètres d'elle : *Every wall is a door.* « Chaque mur est une porte. »

Tant de volonté de puissance affirmée finissait par donner le vertige. Et surtout la mesure d'un besoin d'amour et de confiance si grand qu'il ne serait jamais comblé. D'une immense détresse, aussi, en contraste total avec les blocs de montagne escarpés, les ravins festonnés de vigne, les chapelles perdues dans le vert intense des grenadiers qui sembleraient toujours sortir d'une toile du Quattrocento, loin de la fébrilité des hommes.

Le balcon sur la mer

« Comment c'est arrivé ? »

Luca n'en revient pas. Il est sincèrement ébranlé. « Tu aurais pu me dire. On ne comprenait pas pourquoi vous ne veniez plus. » Je lui parle aussi de notre fils. Il pâlit. Sa femme, Marta, sort de la cuisine et dépose devant moi l'assiette d'anchois marinés par ses soins dans l'huile d'olive de Scala, le citron et le poivre rose.

Luca lui lance quelques phrases rapides en italien. Sa bouche fait un « o » mais n'émet aucun son. Elle pose une main sur mon épaule, retourne à sa cuisine. Luca s'assoit, nous sert un verre de blanc. Il se signe et ses yeux se vissent dans les miens. « On est là pour toi. Pense à elle, mais en belles pensées. *A chiàgnere 'nu muorto so' làcreme pèrze.* Les larmes sont inutiles aux morts. »

Nous sommes à l'ombre, avec devant moi la mer qui s'ouvre à l'infini. Tout est parfait mais l'absence de Paz dynamite l'harmonie. Je sais ce qu'elle aurait dit devant ce plat : elle n'aurait rien dit. Elle l'aurait mangé. Et moi je n'ai pas faim.

Je ne bois jamais au déjeuner. Mais là je redemande un verre. Il arrive, avec les spaghettis *con le cozze*. Un verre, ici, c'est davantage un globe. « La taille d'un de tes seins », avais-je dit à Paz la première fois que nous nous étions attablés et que m'avait été servi ce verre qui devait contenir le tiers de la bouteille de *Furore*.

Luca me sourit mais je vois qu'il est triste. Il aimait beaucoup Paz. J'allais dire, comme tout le monde. Il servait lui-même, avec l'aide de son complice Paolo, dans le petit restaurant de cette pension familiale, que jouxtait la cuisine de Marta, matrone souriante qui m'avait un jour fait visiter, privilège rare, le jardin où poussaient le basilic, le thym et le romarin.

Il faut que je sois un peu souriant. Je lui dois cela. Et puis pendant que je suis là, le sculpteur s'affaire à réparer la nageuse. Tout ira mieux, ensuite. Une dette payée. Un ordre rétabli. Est-ce si mal de vouloir croire au miracle ? Cette statue est un symbole. Je crois en son pouvoir. Dans l'Antiquité, on appelait « symbole » un fragment de poterie qui liait deux êtres humains. Lors d'un serment d'amitié ou de la conclusion d'un contrat, on brisait le fragment en deux et chacune des parties prenait un morceau, précieusement transmis de génération en génération, et voué à être réuni à l'autre moitié quand les aléas de la vie — revers de fortune ou besoin d'assistance — l'imposeraient. Leur emboîtement parfait attestait d'une origine commune. On ne voulait rien savoir d'autre. Avec les dieux pour témoins, personne n'aurait osé mettre en doute le *symbolon*.

Je ferme les yeux. Je nous imagine, à notre tour, *réunis*. Les deux *espressi* qu'elle commandait après le repas. L'un après l'autre, pour renouveler le plaisir.

Autour de moi il y a les autres pensionnaires de l'hôtel. Trois tables. Les conversations sont feutrées, les gens écoutent l'été, le bruit des insectes, la clameur sourde des vagues. On pourrait presque toucher le temps qui passe.

Nous aimions ces déjeuners. Autant pour la cuisine de Marta que pour le plaisir de savoir qu'ensuite nous retournerions à notre chambre pour nous glisser l'un dans l'autre, les volets de notre balcon tout juste entrouverts, le soleil filtrant à travers les persiennes et dessinant des lignes régulières sur le dos, le ventre, les cuisses de Paz.

L'amertume puissante du café très serré me rappelle au réel. Sur la tasse est dessiné un lutin médiéval, à poulaines et bonnet pointu, tenant sur son épaule une corne d'abondance. Je pense à mon fils et à son histoire qu'il n'aura pas, ce soir. Tout ce malheur qui s'est déversé sur nous. Il faudrait que je l'appelle mais j'imagine déjà la question :

« Tu es où, Papa ?

— Au paradis. Avec ta mère.

— Vous allez revenir quand ? »

Luca réapparaît avec une bouteille d'Amaro. Il me remplit un petit verre glacé.

« Ça t'aidera à faire la sieste. Il faut que tu dormes. Tu es tout chiffonné. On dirait un chien napolitain. »

Le ton est paternel. Ça fait du bien.

*

Dans la chambre, le marchand de sable se fait prier. Je me suis pourtant pas mal assommé avec l'alcool. Allongé, les yeux perdus dans le plafond, je me sens comme un nourrisson cherchant en vain son « doudounet », comme mon fils appelle parfois Grosoiseau. L'odeur familière me manque. Le formidable progrès technologique auquel nous avons assisté ces dernières années aurait déjà dû nous permettre de pouvoir convoquer, physiquement, tous ceux qu'on veut à nos côtés. Ou de nous en donner, au moins, l'illusion.

J'ai tiré les volets mais laissé la fenêtre ouverte et j'entends des bruits, à côté. Des soupirs. C'est sûrement le couple de ce matin, le jeune couple. En pleine santé. Je les imagine, chevillés l'un à l'autre sur leur lit. Lui au moment où la jouissance est presque là, avec cette chaleur bienfaisante qui rayonne dans ses veines, ce feu liquide qui fait tout oublier, qui monte et qui atteint presque le bord de son corps, si bien qu'il doit se concentrer pour ne pas entrer tout de suite en éruption. Je l'imagine elle, ses yeux se fermant et s'entrouvrant, comme sa bouche, ses lèvres sur lesquelles passe sa langue, ses dents qui en mordillent la pulpe, et il est encore plus difficile pour lui, devant le spectacle de ce visage en extase, de maîtriser le cours des choses. Sans doute se cambre-t-elle pour mieux lui ouvrir son corps.

J'ouvre les yeux. Des gens font l'amour et moi je ne peux plus le faire. Je peux baiser mais je ne peux plus faire l'amour. Et encore, « je peux baiser » : je pourrais si je le voulais, or je ne veux plus.

Je les entends soupirer. Ce devrait être moi et Paz.

Pourquoi elle ne meurt pas, elle, à côté ? J'aimerais qu'elle crève aussi.

Je me lève pour vomir. J'ai vraiment trop bu. Dans le miroir de la salle de bains, je regarde ma sale gueule. À quarante ans, la barbe qui blanchit. Les rides en étoile autour des yeux. On dirait un vieux corsaire. C'est même trop gentil. Manque plus que le scorbut. Je m'essuie la bouche. Mauvaise idée d'être revenu jardiner tout seul le paradis.

Je sors sur le balcon, à poil. Au large, le fils de Luca s'entraîne à la rame, poursuivant la tradition de la vieille république maritime d'Amalfi. J'ai vu là-bas, le soir, via Lungomare dei Cavalieri, le bateau de son équipe, remonté sur les galets, bâché de bleu roi. Sur la coque, bleue aussi, la croix blanche des chevaliers hospitaliers, bannière de cette ville qui régna sur les mers au Xe siècle, perfectionna l'usage de la boussole, et dont la monnaie avait cours jusqu'en Orient. La mer, disait-on, était alors couverte de digues, passerelles et jetées où mouillaient les galères sorties des arsenaux amalfitains.

Trop de livres, trop de lectures. Plus rien ne m'intéresse et le vin me tape sur les tempes.

Je vais y aller. Je ne suis pas dans les meilleures dispositions mais je vais y aller. Faire revivre son souvenir, tenter de me gorger d'elle, honorer Paz à ma façon. Je voudrais qu'un dieu m'entende. Il faut qu'elle me parle. Je crève de son silence.

Dernière étape du pèlerinage avant le retour de la statue : revoir la grotte.

Sauvé des eaux

Je crawle avec peine le long de la falaise. Une demi-heure que je nage. J'essaie de retrouver l'endroit, pour l'instant en vain. Je continue à avancer. Au large, les yachts aux ponts déserts ressemblent à des vaisseaux fantômes. Le silence de la mer me serre le cœur.

J'ai l'impression que la température de l'eau a chuté. Je dois être tout près. Je lève les yeux, piqués par l'écume, et parviens à distinguer, scintillant dans le soleil, le filet d'eau douce qui serpente dans la roche, puis, quinze mètres plus loin, l'entrée en forme de mâchoire. Elle semble vraiment vouloir engloutir la mer, ou celui qui en vient. Je m'appuie sur la paroi, épuisé. La roche brûle ma paume, me ranime un peu. J'inspire une grande goulée d'air, et disparais sous l'eau. Quand je reprends pied, je suis dans la piscine intérieure, baignée, comme il y a six ans, de la même lumière irréelle. Quelque chose de doux effleure ma main. C'est un hippocampe qui glisse à la verticale, bombant son thorax et agitant ses nageoires qui lui font comme une vibrante collerette. Un signe ? Sa queue s'accroche à mon annulaire, qu'il prend pour une algue, et c'est l'idée que je me fais de moi-même en ce moment. Une algue verte, tout juste bonne à sécher et à servir d'engrais à ceux qui sont plus vivants que moi. La petite plage est là, dôme de galets lisses, sa blancheur avalée par l'obscurité du fond de la grotte. J'ai de l'eau jusqu'à la taille, j'avance doucement sur les roches glissantes et m'y hisse, ou plutôt y rampe, avant de m'y étendre. Je n'aurais pas dû tant boire, vraiment. Je regarde la voûte. Des formes apparaissent à nouveau dans la pierre sculptée par l'érosion. J'y vois de nouvelles figures, un vieillard, des nymphes aux cheveux fous, un sceptre ou un trident.

C'est le temple, notre temple, où je viens faire une dernière offrande.

Dans les temps anciens on se présentait avec un troupeau de béliers au sang noir.

Je ne me présente qu'avec mes souvenirs.

Et mon corps fatigué de vivre sans elle.

Je viens la convoquer.

Je veux qu'elle me parle.

Je pense à l'*Odyssée* et à la descente aux enfers d'Ulysse. Il se tient à la porte du domaine des morts, et ce sont eux qui viennent à lui. Il a fait toutes les libations qu'il faut, du lait mêlé de miel, du vin doux, de l'eau et de la farine d'orge. Il a fait couler le sang des animaux sacrifiés. Il a fait comme lui a dit Circé la magicienne.

Malheureusement, lorsqu'il veut embrasser ses proches, ceux-ci, même sa mère, se dérobent à son étreinte :

τρὶς μὲν ἐφωρμήθην, ἑλέειν τέ με θυμὸς ἀνώγει,
τρὶς δέ μοι ἐκ χειρῶν σκιῇ εἴκελον ἢ καὶ ὀνείρῳ
ἔπτατο

« Trois fois je m'élançai, mon cœur m'ordonnait de la saisir ; trois fois elle me glissa des mains, pareille à une ombre, à un rêve. »

Je veux faire mentir l'*Odyssée*. Et qu'à moi l'ombre ne glisse pas des mains. Je n'aurais pas dû boire autant. Je m'étends. J'écoute. Les sons sont magiques. Le ressac lourd des vagues, derrière moi, dans la fente qui mène à l'autre plage. Je veux rester sur celle-ci, sur laquelle nous avions fait l'amour et qui est pour moi pleine, encore, de sa présence.

Je veux qu'elle me dise si elle nous avait congédiés à jamais, ou si elle comptait revenir. Je veux qu'elle me dise. Et qu'elle me pardonne si je l'ai fait souffrir. Mais que je sache, une bonne fois pour toutes.

Je ferme les yeux. Je revois ses expressions, la lueur de défi dans ses yeux rendus encore plus durs, parfois, par les sombres sourcils. Son accent, la courbe de son dos et de ses fesses, son odeur de brune. Le paysage, plaines, vallons et canyons, failles liquides, de son corps cambré.

Mon corps, à moi, répond favorablement à ces appels de la mémoire, de l'imaginaire.

Sa bouche mouillée sur la mienne, dans mon cou. Nos muscles bandés. Nos reins en rythme.

Je n'entends rien, et pourtant je la sens tout entière.

Je fais glisser mon short. Maintenant je suis comme nous étions, ensemble. Comme au premier jour. Ma fatigue a disparu...

... ma respiration s'accélère. Je sens presque sa peau. Je suis plein de désir et de colère. Rageusement, j'accélère mes mouvements. Je veux me prouver que j'ai encore un corps. Sentir la vie revenir dans mes veines, les sentir gonfler, palpiter. Le plaisir monte rapidement, je ralentis mes mouvements. Un arc électrique me traverse.

Je ne suis qu'une pauvre créature. Un veuf privé du partage de sa jouissance. Qui baise avec la mort.

*

Pendant combien de temps ai-je dormi ? Une première vague vient de me gifler avant de se retirer.

Je tente de me redresser mais une deuxième me frappe au torse et au visage. Je m'écroule sous l'impact, me redresse encore pour constater que la grotte est envahie par l'eau qui déferle, le bruit liquide amplifié par l'écho. Autour de moi les couleurs ont changé. Exit les teintes de pierre précieuse, place au royaume de l'ombre. Je ne vois même plus la voûte, je tâtonne, je patauge, je glisse sur les galets. J'essaie d'atteindre, les bras tendus, à l'aveugle, la sortie que me signale encore une obscure clarté mais une vague plus forte me fait trébucher. Une paroi m'arrête dans ma chute. C'est ma tête qui prend, sonnée, mon épaule aussi, qui s'écorche contre la muraille. La morsure me réveille un peu. Je fais une nouvelle tentative, en vain, je suis refoulé jusqu'à la faille par laquelle Paz et moi nous étions faufilés. En dernier recours, j'essaie de m'y glisser mais l'eau est déjà là. J'essaie de reprendre mon souffle et de plonger, de forcer le passage, mais les vagues me renvoient toujours dans la grotte avec une violence dingue. Ma tête cogne plusieurs fois contre la paroi. Je n'ai pas d'issue. Je vais rester coincé là.

Tout ça pour ranimer quelques souvenirs…

Ainsi s'achève mon pèlerinage sur les terres des sirènes.

Paz, je te rejoins, mais l'agonie risque d'être pénible.

La tombe

J'ai perdu le fil de ce qui s'est passé ensuite.
Je me souviens juste d'une vague plus puissante, qui m'a projeté tout au fond comme
un mannequin de paille, mais dont le reflux
m'a fait franchir la mâchoire. J'ai été vomi
par la grotte. Sonné, lessivé par l'eau et le sel,
assoiffé, j'ai perdu connaissance. Ensuite, je
me souviens de la lumière blanche du projecteur, de voix humaines et du contact sur ma
peau d'un caoutchouc râpeux, et aussi de la
compétition sonore entre le bruit des vagues
et le ronronnement d'un moteur puissant.

Un trajet en bateau. Avec qui ? Où ? Les étoiles
éclaboussaient le ciel noir. À nouveau des mains,
puis la dureté et l'humidité d'un sol sous mon
dos. La voix de Luca, enfin, et une grosse claque
sur la figure.

Les détails, je les ai eus par Gabriele et Luca,
le lendemain. Après la visite du médecin. Je
n'avais rien, hormis quelques contusions dues

aux chocs contre les parois. « On t'a retrouvé en bas, sur *la spiaggia* », m'a dit Luca. « Mais qui m'y a déposé ? » Haussement d'épaules. « Des plaisanciers. Un Zodiac qui passait par là. Je ne sais pas où d'ailleurs. Qu'est-ce que tu foutais ?

— Je m'étais perdu, Luca.

— Mais oui, c'est ça. Et les éraflures sur tes bras, tes épaules ? Tu imagines s'il t'était arrivé quelque chose ? Tu penses à ton fils ? »

Toute la journée, Luca m'a lancé des regards noirs. Je l'ai remercié d'avoir appelé le médecin, il a hoché la tête, sans autre commentaire. Certains clients me dévisageaient, visiblement au courant, et le soir, quand le restaurant s'est vidé, il est venu s'asseoir à ma table.

« Il faut que tu partes, Cesare. Tu fais n'importe quoi, tu gâches tes souvenirs. »

Je lui ai dit que j'avais encore une journée ici, et qu'ensuite je passerais prendre la statue puis mon avion. « Ta statue ? Qu'est-ce que tu racontes ?

— Rien.

— Tu fais comme tu veux, mais passe la journée ailleurs qu'ici, à faire le *stronzo* dans la flotte. Tu cherches quoi ?

— Elle, Luca.

— *Chi contro a Dio gitta pietra, in capo gli ritorna.* Si tu jettes une pierre dans le ciel, elle te retombe sur la tête. Ce lieu lui appartient, à elle autant qu'à toi. Ne l'abîme pas. Pourquoi tu vas pas prendre l'air ? Pourquoi tu vas pas à

Paestum, tiens, comme mes deux Américains, hier, ils étaient ravis. »

Je l'ai foudroyé du regard.

« Paestum, t'es sérieux ?

— Oui. Pourquoi ?

— Là où il y a la tombe du plongeur ?

— *Sì.* »

J'ai secoué la tête, incrédule.

« Je t'ai expliqué ce qui était arrivé à Paz. Tu déconnes, j'espère ? »

Il s'est énervé.

« Et toi tu déconnais pas, cette nuit, dans l'eau ? Tu sais ce qu'on dit chez moi, à Naples ? *Il diavolo tenta tutti, ma l'ozioso tenta il diavolo.* Le diable tente tout le monde, mais l'oisif tente le diable.

— Arrête avec tes proverbes.

— Alors bouge-toi ! »

Il retourna à ses cuisines.

J'ai décidé de le prendre au mot. Il avait peut-être ses raisons.

Après un double expresso, je me suis mis en route. Gabriele m'avait conseillé de prendre le bateau d'Amalfi jusqu'à Salerne, puis le train régional qui suivait la côte et s'arrêtait à Paestum. Trente-deux minutes. J'éviterais ainsi et les embouteillages et la chaleur.

*

Le bateau traçait dans la mer son sillon blanc, hypnotique. J'ai laissé Amalfi derrière moi, à jamais. De cette ville qui détrôna en Méditerranée les califes arabes, il ne restait qu'une plage de galets piquée de parasols bleus, le fronton à la grecque de l'église, les ruines de la tour où avait été enfermée vivante une malheureuse duchesse, et l'ancien monastère reconverti en hôtel, comme la plupart d'entre eux aujourd'hui. Pas vraiment un hasard, les hôtels étant devenus les monastères contemporains. On s'y abrite du fracas du monde, on renoue avec le sentiment du temps qui passe et, pourquoi pas, avec une certaine solitude bienfaisante. Même si désormais « de jolies sœurs (…) viennent s'asseoir aux tables du réfectoire et coucher dans les cellules des pères », comme le notait espièglement un certain Frédéric Mercey, en 1840, déjà. Une manière comme une autre, après tout, de tutoyer Dieu.

J'ai fini par m'endormir dans mon siège de plastique et c'est un employé de la compagnie qui m'a réveillé à Salerne. La chaleur était bestiale.

*

À la gare, des garçons et des filles bronzés, dont les vêtements moulaient des muscles impatients. Ça parlait fort, ça selfisait, ça riait. J'imaginais leurs jeux. J'étais heureux pour eux, moi le veuf, l'inconsolé, le prince à la tour sexuelle abolie.

Dans le train, j'ai pris une place contre la vitre, sorti mon ordiphone et franchi d'une touche la porte numérique qui contenait désormais le monde. Aux VIIIᵉ et VIIᵉ siècles avant Jésus-Christ, lisais-je, l'augmentation de la population en Grèce avait déclenché une vague d'invasions du sud de l'Italie et d'une partie de la Sicile. Dans ce nouveau territoire, bientôt nommé « Grande-Grèce », *Magna Græcia,* les « cités mères » d'où étaient partis les envahisseurs avaient fondé des « cités filles » qui, devenues très puissantes, avaient elles-mêmes fondé d'autres « cités filles ». Paestum, d'abord baptisée Poseidonia, avait été bâtie par des gens venus de Sybaris, en Calabre, ville dont la richesse était telle qu'au nom de ses habitants, les Sybarites, avait longtemps été associé le fantasme d'une vie d'un luxe et d'un raffinement sans pareils. Les femmes de Sybaris, disait-on, n'acceptaient une invitation à dîner que si elle leur était faite au moins un an à l'avance pour avoir le temps de se préparer. Quant à leurs chevaux, les Sybarites ne les dressaient pas pour la guerre mais pour danser au son de la flûte dans leurs banquets.

Le wagon se vidait à mesure que nous descendions vers le sud. À l'approche de Paestum, nous n'étions plus qu'une dizaine. Quelques jeunes gens, encore, une poignée de Japonais et, au fond, un couple singulier, une femme aux cheveux gris, très élégante dans une robe bleue à fines rayures noires, et une autre plus jeune, dont les cheveux étaient d'un blond chaud, et qui, elle, portait une robe blanche très simple, mais impeccablement coupée. La mère et la fille, certainement, bien que ne se ressemblant pas, sauf peut-être dans l'attitude. Elles avaient toutes les deux les yeux cachés derrière de grosses lunettes hepburniennes et se tenaient très droites. La jeune avait sur ses genoux une forme noire de grande dimension, une sorte de panier spécial, dont le haut arrondi était recouvert d'un tissu couleur crème. J'étais en train de les observer quand la jeune m'a remarqué et souri. Je n'avais pas le cœur à répondre.

J'ai repris ma lecture : le site archéologique de Paestum était l'un des mieux conservés de Méditerranée, avec trois temples quasi intacts, dédiés respectivement à la femme de Zeus, Héra, à son frère Poséidon et à sa fille Athéna. Il y a les temples et puis l'icône du lieu, la star, le fameux plongeur. Poséidon, un plongeur et son tombeau : tous les signaux étaient au vert pour me faire souffrir. Ou Luca était pervers ou c'était un adepte de la thérapie par le choc.

Les Japonais et les deux Européennes sont descendus, comme moi, à Capaccio Paestum, gare microscopique d'où partait le chemin bordé d'arbustes chargés de fleurs roses et mauves qui mène au site. La chaleur cognait et l'on était bientôt doublement écrasé : par la puissance du soleil et par celle des temples.

Les deux femmes se sont dirigées vers le plus grand des temples, d'un pas tranquille. Très à l'aise dans leurs robes fraîches, pieds nus dans leurs sandales, elles semblaient insensibles à la chaleur. J'ai laissé les pierres pour plus tard. Il me fallait d'abord en découdre avec le mythe. La tombe avait été démontée et installée dans un musée aux airs de mausolée pour dictateur. J'ai traversé une incroyable collection de vases orange et noir sur les flancs desquels bourdonnaient des Victoires ailées, dépassé une statue en bronze du satyre Marsyas écorché vif par le dieu Apollon, un buste de femme couvert de svastikas, symbole solaire avant d'être nazi, et un bloc de marbre montrant le suicide d'Ajax, s'empalant sur son épée plantée dans le sol dans une variation méditerranéenne du seppuku. Un enfant de sept ans ouvrait de grands yeux devant le spectacle, sa petite main dans celle de son père. Ma gorge s'est nouée. Qu'est-ce que je foutais là seul ? Est-ce que je n'aurais pas dû être avec mon fils, moi aussi ? Le faire profiter de ces splendeurs, lui ouvrir l'esprit, la curiosité, cultiver en lui le sens du temps, des civilisations qui passent, lui qui serait menacé, encore plus que ma génération, par le culte de l'immédiateté ?

Au lieu de ça, j'allais dialoguer avec un mort. Ou plutôt avec son image.

Ça y est. Il est là. Devant moi. Peint sur le couvercle de cette tombe à caisson. Un banquet est représenté sur les parois latérales. Allongés sur des lits d'apparat, des hommes y portent à leurs lèvres des coupes de vin ou s'adonnent au « cottabe », un jeu antique qui consiste à viser un endroit donné en prononçant le nom d'une personne aimée. Sur l'un des lits, un couple se caresse tendrement. L'un des convives tient, entre le pouce et l'index, un œuf, symbole de la vie après la mort. Il n'y a qu'une femme, une joueuse de flûte minuscule, son visage blanc contrastant avec l'ocre des peaux viriles et le bleu des tissus.

Et puis lui, donc, sur la dalle de couverture. Le plongeur. *Il tuffatore.* S'élançant dans le vide, au centre d'un cadre orné de motifs floraux qui fait penser à un intertitre de film muet, depuis un promontoire composé de trois colonnes, dressées devant un arbre rabougri, une branche cassée. Le plongeur a le cheveu noir et l'œil ouvert, clair. Il semble flotter dans l'air, de profil, tendu comme une flèche, la tête comiquement droite, comme ses pieds et son sexe, pointant, tige minuscule, au-dessus du scrotum contenant ses « petites boules », comme dit mon fils. Une surface convexe, bosselée par le renflement des vagues, figure la mer, près de laquelle un autre arbre pousse, un arbre marin, jumeau de l'arbre terrestre, mais vigoureux. Aucune branche n'est cassée.

Pas de ciel dans cette fresque.

Je reste sans voix. Le cœur au ralenti.

On ne savait pas qui avait reposé dans cette tombe. Un cartel, en italien et en anglais, précisait que les restes du défunt avaient été retrouvés à l'état de poudre, avec autour de lui trois vases, dont un contenant l'huile parfumée qui servait aux athlètes, des résidus métalliques difficiles à identifier, et des fragments de carapace de tortue. Le motif du plongeur, en outre, n'était pas courant dans les peintures funéraires.

Posé à l'entrée de la salle, un écran plat diffuse un film relatant la découverte de la tombe en 1968. Des visages d'archéologues en surgissent, spéculant sur la mystérieuse symbolique de la peinture. Une dénommée Daisy, chercheuse américaine, donne au plongeon un « sens magico-religieux », lié à l'orphisme, cette religion initiatique sur laquelle l'Antiquité a réussi à maintenir jusqu'à aujourd'hui le secret. Nous étions en présence d'une « régénération cathartique par les eaux marines », commentait-elle, voyant dans le plongeur l'âme du défunt se libérant de sa prison corporelle. Un savant français expliquait, lui, que les écailles de tortue présentes dans la tombe provenaient probablement d'un instrument de musique semblable à celui sur lequel jouait Orphée, l'homme qui avait perdu la femme qu'il aimait mais qui avait réussi par son chant à faire fléchir le dieu des Enfers et à obtenir l'autorisation de la ramener parmi les vivants. Le même chercheur évoquait des lamelles d'or, où étaient gravées des instructions codées pour guider le mort vers l'au-delà, et des prières : « Heureux, trois fois heureux, tu seras dieu de mortel que tu étais. »

Cette beauté me faisait mal. J'étais sûr que Paz aurait aimé. J'ai tendu le bras vers le plongeur, indifférent au bip strident qui s'était déclenché. J'ai posé ma main sur la pierre froide. Qui étais-tu donc, plongeur, petit frère de ma bien-aimée ? « *Prego* », m'a dit le gardien. Je me suis reculé. Les jambes me manquaient. Je me suis assis devant la tombe, la tête dans les mains. Une dalle, une pierre, un mur. La colère m'a envahi. Contre Luca qui m'avait poussé là, contre moi qui avais suivi son conseil, contre ces experts qui se perdaient en commentaires sur les chimères des peuples du passé. Paz devenue immortelle, devenue déesse, *heureuse, trois fois heureuse*, parce qu'elle avait fait le grand plongeon ? Décidément pathétique, l'éternelle et vaine quête de sublimation des humains devant ce mystère d'un corps que la vie vient de déserter.

Je n'étais pas Orphée, et même Orphée, de toute façon, avait échoué à ramener Eurydice. Tout simplement parce que les morts sont morts. On ne les ramène pas.

Je suis sorti du musée. J'ai parcouru le site, hagard. Dans le restaurant qui, depuis 1929, accueillait les visiteurs affamés, je n'ai pas touché à mon assiette. Sur les murs, des affiches des années 30 annonçaient des représentations de théâtre et de danse antiques pour la semaine suivante. Quelques photos en noir et blanc montraient des jeunes filles en robe de vestale dansant dans le péristyle des temples. Et en effet, devant leur état de conservation sidérant, on avait l'impression qu'une cérémonie païenne pouvait s'y dérouler d'un moment à l'autre.

Avant de repartir, j'ai longé le temple de Poséidon et ses puissantes colonnes, louvoyé entre les ruines d'un amphithéâtre et celles d'une piscine dédiée à Aphrodite.

J'étais en train de chercher la sortie lorsque j'ai retrouvé les deux filles du train.

Elles étaient assises au pied d'un olivier de très haute taille, qui juste devant le temple dit d'Athéna dispensait une ombre bienvenue aux visiteurs. Ils étaient d'ailleurs quelques-uns à stationner ici, assis sur l'herbe, dégustant leurs sandwiches. Les deux filles, ou plutôt la femme et la fille, ne déjeunaient pas mais nourrissaient quelque chose. Ce que j'avais pris pour un panier était une cage de belles dimensions. Le tissu qui la recouvrait avait été retiré, et la plus jeune des deux en avait ouvert la porte et y plongeait la main avec une grande délicatesse. Quand elle la retirait, elle piochait une graine, un ver, que sais-je ?, dans la petite boîte que tenait l'autre femme. J'ai plissé les yeux pour essayer de mieux voir. Volatile ou rongeur ? Serpent ? Impossible à dire. Il aurait fallu que je m'approche. J'étais en train de le faire et n'étais qu'à trois mètres quand la plus âgée m'a repéré. Elle s'est tournée vers sa jeune compagne qui a fermé la cage et, ôtant ses lunettes comme si elles la gênaient, m'a dévisagé un long moment.

Suffisamment longtemps pour que je puisse bien observer son regard. Vert pâle. Et maintenant que le souvenir me percute, enfin, je n'ai pas besoin de savoir si, oui ou non, dans ce vert pâle nageaient des paillettes d'or. Car cette fille à Paestum, au visage ovale et aux très grands yeux, j'en suis certain, était celle qui avait frappé à ma porte. Cette fille, c'était Nana.

II

LE RESSUSCITÉ

France, Paris & Espagne, Deià

Un livre tous les trois jours

J'ai quitté la zone inondée de soleil et de mort. Dans une des boutiques pleines de mugs « *Ricordo di Paestum* » avec reproduction du plongeur sexe au vent, j'ai acheté pour mon fils une cuirasse de légionnaire romain. Et puis un casque, un bouclier et un glaive en plastique, le tout rassemblé dans un filet que j'ai jeté sur mon épaule, vétéran vaincu, marchant dans sa nuit.

Quand je suis rentré à la pension, il était tard. J'ai décapsulé une bière et je suis allé sur le balcon. Nous avions passé ici des heures merveilleuses. Luca avait raison. Je ne devais pas gâcher les souvenirs. J'allais tirer un trait sur ce paradis. Je laisserais l'adresse à notre fils. Il aurait peut-être envie, plus tard, d'aller voir l'endroit où ses parents s'étaient aimés. Quoique : a-t-on telle-ment envie de connaître ce genre d'endroits ? L'orage se levait sur le Capo dell'Orso. Bientôt, les éclairs ont ouvert le ciel, éclairant la mer par à-coups éblouissants. La nature était d'accord.

Je me suis allongé une dernière fois sur les carreaux brillants, en regardant le ciel. Comme on le faisait elle et moi, jadis, du temps où sa respiration rythmait ma vie.

Heureux, trois fois heureux, tu seras dieu de mortel que tu étais.

Le lendemain je suis passé chez le sculpteur récupérer la nageuse. Réparée. Réunie. Ressuscitée. Prête à reprendre sa place chez nous.

Chez nous, je suis rentré.

Chez nous, je l'ai installée. Dans son grand vase. La tête en bas, puis la tête en haut. Aucun miracle ne s'est produit.

Mon pèlerinage avait été vain. Ma démarche propitiatoire avait échoué.

Je tournais dans l'appartement. M'abrutissais pour dormir. Nuit comme jour tandis que dehors la canicule frappait Paris.

Pourquoi rien ne se passait-il ? Je lui avais juré de réparer la statue, je l'avais fait, et Paz restait muette ? Refusait de me donner la réponse que j'attendais ?

C'est donc aussi ça, le deuil : des espoirs, puis le désespoir ? Un vide qui vous remplit et vous dévore ?

Deux semaines ont passé. Mon fils était chez mes parents pour les vacances. J'ai hésité à prendre la voiture et à aller l'embrasser. Mais pour la voir encore à travers lui, et prendre encore davantage conscience, comme une balle en pleine figure, de sa non-présence ? Je n'en avais pas la force. Je ne mangeais plus guère. Je m'engloutissais dans le travail pour que les journées tombent les unes après les autres comme les grands pins des dernières forêts sous le couperet des abatteuses finlandaises, les meilleures du marché, paraît-il.

Le soir, j'étais prostré.

C'est à ce moment-là que j'ai pensé au passeport pour l'au-delà. J'ai passé commande sur internet. Trois jours après je recevais le tout dans un joli carton. Et cette fois la marchandise était intacte. J'ai commencé à avaler les gélules expéditives. Et c'est là qu'elle a sonné la première fois, ma voisine qui avait perdu ses clefs.

*

Trois jours après cette visite, elle sonnait à nouveau pour me rapporter la *Théogonie.* J'avais beaucoup dormi. Je n'avais fait que ça, en réalité. À mon réveil il faisait moins chaud. La *petite chienne* était rentrée à la niche. Nana portait un short en jean et des sandales. Et une chemise en coton, brodée de fleurs et d'oiseaux dans un style naïf, un peu hippie — « ça vient d'Équateur », me dira-t-elle un jour —, dont elle avait retroussé les manches sur ses bras brun clair. À son poignet toujours les deux bracelets d'or.

Je lui ai demandé si elle voulait boire quelque chose.

« Un café avec des glaçons, c'est parfait. »

Sa voix était d'une douceur que je n'avais pas remarquée la première fois, mais j'avais des excuses. Je me suis dirigé vers la cuisine. Elle m'y a rejoint, le livre jaune à la main, comme si elle craignait de le laisser seul.

« Je voulais m'excuser pour l'autre jour. »

J'ai levé les yeux de la machine à expresso dans laquelle je venais d'insérer une capsule.

« Les problèmes de clefs, ça arrive à tout le monde », ai-je répondu en scrutant son visage. Elle n'a pas cillé. Elle mentait bien. Peut-être pas, en fait, puisqu'elle a ajouté, après quelques secondes :

« C'est un peu plus compliqué qu'une histoire de clefs. »

Je n'ai pas insisté. Les occupations des vivants, leurs petites compromissions, me concernaient de moins en moins. Le café s'est écoulé goutte à goutte, diffusant immédiatement son parfum dans la pièce. Le plus beau ronronnement du monde. J'ai déposé sur la petite table le grand verre avec le bon breuvage brun, où nageaient trois glaçons. Et un expresso serré pour moi.

La présence de cette fille dans ma cuisine, où nulle autre n'avait pénétré depuis des mois, dérangeait l'ordre obscur dans lequel j'évoluais. C'était un shoot de vie dans ce grand cadavre qu'était devenu l'appartement, en osmose avec mon corps. Deux intérieurs calcinés. Elle s'est assise. Je suis resté adossé au plan de travail. J'hésitais à lui parler de Paestum, maintenant que ça m'était revenu.

« J'espère que je ne vous dérange pas, cette fois ? » a-t-elle demandé comme le silence s'installait entre nous. J'avais perdu mes réflexes. Je ne savais plus bavarder. Mes yeux se sont posés sur la couverture du livre.

« Vous l'avez regardé ?

— En fait, je l'ai relu. »

Je n'en avais, personnellement, que de vagues souvenirs. Beaux, mais vagues. La *Théogonie*, c'était la Genèse des Grecs. Je me souvenais avoir été très impressionné, enfant, par les Hécatonchires, des êtres fabuleux à cent bras et cinquante têtes qui se battaient au côté de Zeus en lançant des montagnes entières.

« J'ai trouvé incroyable la scène de castration », lança-t-elle.

Ça commençait fort. J'avais peur de n'être pas équipé. Elle a continué :

« J'avais oublié à quel point c'était gore. » Elle roulait les « r » d'une façon ravissante. Un roucoulement d'oiseau. « Non seulement le fils tranche le sexe de son père au moment précis où il fait l'amour à sa mère. Mais en plus, il le jette dans la mer où il se vide de tout son sperme. C'est gore !

— Oui, mais ça donnera l'écume d'où naîtra Aphrodite. C'est gore mais poétique. »

Elle porta le café à ses lèvres et sourit, sans que je comprenne pourquoi.

« En fait on devrait l'appeler Spermadite…

— C'est moins élégant.

— Vous trouvez ? »

Elle a ri. On riait sur Hésiode. On aura tout vu. Nous sommes passés au salon. La lumière y était douce et donnait envie d'être un peu plus heureux.

Plusieurs secondes se sont écoulées. Je n'avais pas grand-chose à lui dire.

« Vous n'avez pas trouvé ça vieillot ? ai-je demandé.

— Pardon ?

— Vieux. »

Elle m'a regardé avec étonnement. Et du tac au tac :

« Vous vous sentez vieux ? »

Elle avait raison mais j'ai fait semblant de trouver ça gonflé :

« Pourquoi me demandez-vous ça ?

— Parce qu'un homme qui possède une bibliothèque entière de livres en grec ancien, m'en a prêté un et veut savoir si j'ai trouvé ça vieux, doit se sentir vieux. »

Je me suis laissé aller à sourire. Pour la première fois depuis des mois.

« Plus vieux que vous », ai-je dit. Avant de me reprendre. Je ne voulais pas qu'elle puisse penser que j'étais en train de la brancher. J'ai désigné la bibliothèque.

« C'est quand même, il faut l'avouer, rempli de livres que plus personne ne lit. Que plus personne ne lira.

— Pourquoi dites-vous ça ? C'est idiot. Les enfants aimeront toujours ces récits fabuleux.

— J'espère que vous avez raison. »

Et je l'espérais vraiment. Dans mon pays, pourtant intoxiqué à la nostalgie, tout se passait comme si le mot « transmission » était devenu un gros mot. Pour enseigner aux élèves les grandes figures de la science aux XVIe et XVIIe siècles, les nouveaux manuels scolaires leur proposaient d'imaginer la page Facebook de Copernic ou quels Tweets ou vidéos Vine l'inventeur de l'héliocentrisme *posterait* s'il débarquait dans notre époque. C'est le passé qui, désormais, devait s'adapter au présent. Quand bien même la planète entière faisait des choix inverses, la Chine remettant Confucius à l'honneur, et l'Amérique, tout en dessinant le futur du côté de Palo Alto, continuant à muscler ses *classic studies*. Nos décideurs à nous n'avaient que le mot « numérique » à la bouche, fantasmant des Silicon *vallées* et des *french* Californies en ignorant qu'avant d'inventer Facebook, Mark Zuckerberg (qui n'était pas vraiment ce qu'on appelle un réactionnaire) était connu, à Harvard, pour sa propension à réciter des passages entiers de l'*Iliade*. Pour inventer des mondes, c'est-à-dire, d'abord, les rêver, le passé pouvait, semble-t-il, être d'une certaine aide. Et si l'imaginaire dopait les intuitions ? Oui, j'espérais qu'elle aurait raison. Qu'un jour on serait moins amnésiques. Moins arrogants.

« Et puis elle est belle, votre bibliothèque, dit-elle, ses yeux balayant les mètres de livres jaunes et brique.

— Je la vois comme une amie. Je ne lirai

jamais tout ce qu'elle contient, mais je sais que c'est là. Au cas où. Ça me relie aux autres époques. J'aime ça. J'y voyage. »

Elle sourit à son tour mais ne dit rien. Prit une gorgée de café, étendit ses jambes fines. Elle était si jeune. J'avais peur des silences.

« Vous faites quoi, à Paris ? demandai-je.

— Archi. »

Elle terminait un master à Paris-Belleville. Devait choisir son PFE. « Projet de fin d'études », précisa-t-elle. Cherchait un stage. Elle avait du boulot, d'ailleurs, il fallait qu'elle y aille. Je me suis lancé, croyant la surprendre :

« Vous savez qu'on s'est déjà vus ? »

Elle a eu l'air étonnée. Je lui ai raconté Paestum, deux mois avant. Elle a secoué la tête.

« Vous devez confondre.

— Vous n'étiez pas là-bas, au mois de mai ? »

Elle a secoué la tête. Je n'ai pas insisté. Je me sentais stupide. Elle m'a demandé si elle pouvait m'emprunter un autre livre. Je n'arrivais pas à croire que ça l'intéressait vraiment. J'ai proposé d'en choisir un pour elle. J'ai sorti le volume de Pindare, le plus grand poète de l'Antiquité, qui avait défini l'homme comme le « rêve d'une ombre ».

« À dans trois jours », me dit-elle, une fois franchi le seuil.

Il semblait que nous allions établir un rituel.

« Et prenez soin de vous. »

Oui, un rituel.

Ce soir-là, j'ai recommencé à manger.

106

Chez mes parents, mon fils découvrait les aventures d'Astérix. « Tout va bien mon papa », me dit-il au téléphone.

*

Elle revint comme convenu. Trois jours après. Forçant, à nouveau, ma solitude. Non que je ne visse personne, mais je ne parlais, vraiment, à personne. Je ne livrais plus rien de moi.

« Vous avez aimé ?

— C'est très beau, oui.

— Vous arrivez à comprendre facilement ?

— Je m'exerce, mon père aimerait que je me remette au grec ancien. »

Nous étions dans le salon. Elle avait sonné à l'interphone. Avait cette fois choisi le soir. J'avais ouvert une bouteille de vin. Je me sentais comme un vieux professeur qu'une élève serait venue visiter. Elle déclina. Préférait de l'eau. Elle portait un pantalon de grosse toile bleue, des sandales et une marinière. Je fixais ses yeux vert pâle parsemés de filaments d'or. Avais-je vraiment pu la prendre pour une autre ? Ou plutôt prendre une autre pour elle ? Je n'ai pas voulu reparler de Paestum. Elle me demanda comment s'était passée ma journée. Ce que je faisais. Elle ne lisait guère la presse. « Un journaliste qui s'intéresse au monde ancien ?

— C'est riche de leçons. Le passé éclaire bien souvent le présent. On y voit des parallèles intéressants, je vous assure. On est moins surpris.

On anticipe, même. Les hommes changent peu. Mêmes envies de pouvoir, de guerre, d'amour. »

Elle ne détachait pas son regard de la bibliothèque. J'étais comme elle. L'examen des livres que lisait, ou exhibait — car au fond même l'intention comptait — quelqu'un m'avait toujours semblé le seul moyen de savoir qui j'avais en face de moi.

« Alors pourquoi me demandiez-vous si je trouvais ça vieillot, l'autre jour ?

— Une coquetterie de ma part. »

Une coquetterie de vieux con. J'ai porté mon verre à mes lèvres. Le vin était bon. Il me semblait qu'en sa compagnie, je redécouvrais certaines choses de la vie.

« Vous avez toute la collection ? demanda-t-elle en regardant la muraille de Budé.

— Non… Vous savez que c'est une enfant de la guerre ? »

Ça y est, je n'avais pas pu m'empêcher de combler le silence. La lassitude de moi-même et de mes références revint pointer le bout de son nez. Je ne poursuivis pas. Nana perçut mon hésitation.

« Eh bien, racontez-moi.

— Ça vous intéresse ?

— Ça m'intéresse beaucoup », dit-elle, ajoutant à l'autorité de son ton celle de ses yeux verts posés sur moi. J'avais l'impression qu'elle voulait me donner confiance. Je lui racontai, alors, comment, à l'origine de cette collection, il y avait un homme, un linguiste de vingt-neuf ans qui, en 1914, appelé sous les drapeaux, avait voulu emporter avec lui l'*Iliade*, ce grand texte sur la guerre et les hommes. Était-ce simplement pour relire ces pages fondatrices de la civilisation qui allait se disloquer sous les obus ? Pour se donner du courage ? Pour trouver des idées ? Se souvenir avec Ulysse que la ruse permet de vaincre ? On ne l'a jamais su. Toujours est-il que notre linguiste n'avait trouvé, comme édition savante, qu'une édition allemande, et que c'était fort peu patriotique dans les tranchées. Il s'était donc promis, s'il survivait, de créer une collection de référence dont chaque volume puisse tenir dans la poche d'un honnête homme.

« Et la chouette, c'est en hommage à Athéna ?

— Oui, la déesse de la guerre, et aussi de la sagesse. Je ne sais pas si faire la guerre est sage, mais… »

Elle m'interrompit :

« Vous connaissez Fornasetti ?

— Le designer ? »

Elle hocha la tête.

J'adorais Piero Fornasetti. Dans les années 50 et 60, cet expert en jeux graphiques dingue d'Antiquité et de surréalisme avait conçu un nombre incalculable de meubles, assiettes, objets divers dictés par sa fantaisie. Un homme qui déclarait que s'il avait été ministre, il aurait créé immédiatement cent écoles de l'imagination.

« Pourquoi vous me parlez de lui ?

— Mon père et lui étaient amis… Il m'en parlait beaucoup. »

Deux mentions du père en cinq minutes. Œdipe planait dans mon salon. Elle reprit : « Je pensais à ce que vous disiez, l'autre jour, sur ce qui est vieux. Fornasetti disait qu'une chose devient plus intéressante et plus belle précisément quand elle vieillit, à cause de cette usure des matériaux qui la constituent et qui produit une "patine", c'est bien ça le mot, en français ?

— Oui… une certaine couleur, un certain toucher qu'on prend sous l'effet du temps, du frottement.

— Vous n'êtes pas vieux, vous êtes *patiné*. »

Et elle, culottée.

« Merci du compliment.

— C'en est un. »

Elle sourit et se leva.

« Vous avez l'heure ? »

Je lui répondis. Elle dit :

« Il va falloir que je vous laisse. »

À ma grande surprise, j'accusai le coup.

« Vous allez retrouver votre frère ?

— Non, je dois finir un travail avec quelques copains. Un projet pour l'école. Ensuite on va à un concert. »

Des jeunes gens, comme elle. Moins *patinés*. Je les imaginais déjà. L'enthousiasme étudiant, les blagues qui rythment le travail, si travail il y avait. Et puis le concert, la bière fraîche, la tête qui remue, les corps en nage, et après…

« Vous me choisissez un autre livre ? »

Cela m'a fait plaisir. J'avais le sentiment étrange que tout ce qu'elle faisait était destiné à me faire plaisir.

« Pourquoi vous ne prendriez pas l'*Iliade* ?

— Un récit de guerre…

— Tellement mieux que ça. »

Elle s'approcha de la bibliothèque. Promena ses mains sur les reliures et ferma les yeux avec une moue enfantine. Elle s'arrêta sur un livre qu'elle sortit du rayonnage. Elle ouvrit les yeux et en lut à haute voix le titre : « *Daphnis et Chloé*, Longus. C'est bien ?

— L'un des plus grands romans d'amour de l'Antiquité. Il a fait frémir toute la Renaissance… Ravel en a tiré un ballet. Que Millepied a repris récemment à l'Opéra.

— Mais c'est bien ou pas ?

— Un berger et une bergère, des cœurs purs et même des pirates, un peu de nudité… »

Elle sourit et le glissa dans sa besace.

« Ça me changera de "contexte et création-intervention dans un bâti historique". »

Devant la porte, elle me dit :

« Je ne vous le rapporterai pas dans trois jours, en revanche.

— Pourquoi ?

— Je pars pour dix jours.

— Vacances ?

— Je ne suis jamais vraiment en vacances. J'ai à faire, chez mon père. »

Troisième mention. Ce devait être un homme bien pour avoir enfanté pareille créature. Une

grâce. Une attention à l'autre assez extraordinaire. Une curiosité, aussi. C'était si rare.

« Et vous ?

— J'avais prévu quelque chose. Mais ça s'est
annulé, ai-je répondu à celle qui était responsable de ce changement de programme.

— Alors on pourra se voir », a-t-elle dit avec
un sourire qui n'a laissé aucune chance à la tristesse. Elle m'a tendu la main.

« Merci encore. »

Sa paume était chaude. J'ai ouvert la porte.
Suivi la trajectoire souple de son corps jusqu'à
celle d'en face. Elle a glissé la clef dans sa serrure,
a ouvert et est entrée chez elle sans se retourner.
Pas de « prenez soin de vous », cette fois. Était-
elle rassurée sur mon sort ? Je sortais du brouillard, un peu. Mais elle me laissait perplexe. Son
assurance, son énergie, sa clairvoyance. Comme
si elle lisait en moi. Une preuve ? J'ai traversé
le couloir jusqu'à la chambre de mon fils. J'ai
actionné l'interrupteur : sur le mur qui se dres-
sait au-dessus du lit, le mur dont il avait tenu à
choisir le papier peint avec moi, car il voulait un
papier peint, des poissons nageaient sur un fond
bleu pâle, de toutes les formes et de toutes les
tailles, de toutes les espèces, rascasses ou poissons bulles, lisses ou cuirassés, dessinés très précisément comme s'ils avaient été tirés d'un très
ancien livre de zoologie.

Un papier peint signé Fornasetti.

La bergerie

Je me suis réveillé dans le lit de mon fils, avec le soleil. À gauche, en piles, ses livres, ses atlas des pays qui n'existent pas, ses romans de Roald Dahl. À droite, son coffre à jouets rempli de Playmobil et de personnages de *Star Wars*. Une photo de lui et moi, aussi, dans un cadre, à côté d'une figurine à tête de requin. Comment avais-je pu penser lui faire ça ? L'abandonner ?

Il était chez mes parents. Je lui avais dit que j'avais beaucoup de travail et qu'il serait mieux là-bas. Il y avait ses repères, et j'avais bousillé les miens. J'ai appelé, dit que j'arrivais. Je mourais d'envie de le voir, de mettre mon nez dans son cou, de le respirer à fond pour y noyer ma culpabilité, en me maudissant d'avoir voulu déserter la vie.

J'ai balancé les médocs.

Il a couru vers moi sur le quai de la vieille gare, mon père derrière, plus lent ou moins impatient que le petit être aux jambes fines et musclées qui m'a sauté dans les bras.

« Papa ! »

Il a dit que c'était *superguay* que je sois là. À prononcer « gouaille ». Un mot que Paz aurait pu dire. J'avais choisi une nounou espagnole pour le garder après l'école. Je voulais qu'il continue à parler la langue de sa mère. *Guay*, « cool ».

« Pourquoi tu pleures, Papa ? »

Mon père est arrivé.

« Ton père pleure parce qu'il est très heureux de te voir », a-t-il dit. J'ai souri entre les gouttes. « C'est vrai. Et ce qui est assez *superguay*, c'est que je t'emmène en vacances.

— En voilà une bonne nouvelle », a dit mon père, souriant de me revoir sur le ring.

En un coup de fil et cinq clics sur internet ça avait été réglé. Avant l'été, un copain m'avait parlé d'une petite maison à louer à Majorque. Dans un village de la Sierra de Tramontana. Une ancienne bergerie. Trop petite pour lui mais idéale pour un couple. À l'époque, j'avais remercié poliment. Maintenant, je me disais qu'au fond je formerais avec mon fils le meilleur des couples. J'ai rappelé Arthur. Il avait loué la bâtisse principale, mais l'ancienne bergerie était libre pour une semaine. Une seule semaine.

« Tu as l'air d'aller mieux. Ça fait plaisir, m'a dit ma mère en m'embrassant.

— Tout se passe bien avec le petit ?

— Tout se passe bien, mais tu lui manques. Il n'arrête pas de faire des dessins pour toi.

— Je vais inverser la tendance. »

L'avion traversait les nuages. Mon fils était sage. Comme une image, dit-on, alors que les images, aujourd'hui, le sont de moins en moins. Il m'observait en douce, je voyais bien. Il guettait, veillait sur moi. J'ai pris le stylo et le bloc que lui avait offerts l'équipage pour lui faire passer le temps.

« Tu connais Morlamock ? » lui ai-je dit.

Il a secoué la tête.

« C'est un petit garçon qui a un pouvoir magique. Tout ce qu'il dessine devient vrai. Regarde. »

Les deux heures de vol ont filé au rythme des aventures de Morlamock. Mon crayon glissait sur la feuille. Morlamock prenait forme, bientôt capturé par le méchant roi Sanvit qui voulait exploiter ses talents, mais délivré par Strip, le dieu protecteur des dessinateurs — je pensais souvent aux attentats du 7 janvier, qui avaient tranché net l'existence des êtres les plus libres au monde, et, pour certains, les plus bienveillants, l'ami Georges par exemple. Était-il vrai qu'il avait fait aux tueurs, juste avant d'être fauché par leur feu pathétique, un bras d'honneur ? J'aimais le croire.

Strip était une créature dont les mains et les pieds étaient terminés par des crayons, qui se déplaçait donc en dessinant. Levant une armée de soldats dessinés par lui, il avait laminé le tyran et était reparti régner sur le paradis des dessinateurs.

« Il va falloir que je colorie, a dit mon fils, tes dessins sont en noir et blanc.

— C'est le problème de Morlamock. Ce qu'il dessine prend vie, mais comme il dessine avec un morceau de charbon sur les murs, c'est toujours de la couleur des murs, donc assez terne.

— C'est triste d'être terne.

— Je ne te le fais pas dire. C'est pour ça que Morlamock doit aller chercher la clef de la couleur au Koloristan.

— C'est à côté de Daech ? »

J'ai blêmi, constatant une fois de plus que nos enfants vivaient avec les mêmes cauchemars que nous.

« C'est quoi la religion des terroristes ? m'avait-il demandé en rentrant de l'école, deux jours après un nouvel attentat.

— La bêtise », avais-je dit.

Il s'est endormi contre moi. La tête sur mes genoux.

« Papa, on ira à Aqualand ? »

Il avait vu les grands panneaux et ce n'était pas tombé dans les yeux d'un aveugle. *AQUALAND : RAPIDOS DESCENSOS Y VERTIGINOSOS GIROS*. En grosses lettres à la sortie de l'aéroport. Avec une famille en maillot de bain tout sourire et les bras en l'air, tournant sur un donut géant emporté par une cascade. Il était jusque-là silencieux sur la banquette arrière, bien attaché, écoutant sous ses lunettes noires à monture orange sa chanson préférée, « Johnny Delusional » de Franz Ferdinand and Sparks.

« On ira, Papa ?

— Où ?

— À Aqualand ?

— Ce n'est pas *cutre* ? » Un mot de sa mère. *Cutre* égale « tout pourri, naze ».

« Non, c'est pas *cutre*. Le *paraiso de los ninos*, ils disent. Avec des *rapidos descensos y vertiginosos giros*.

— J'ai vu. On essaiera.

— Ça veut dire oui ?

— Ça veut presque dire oui. C'est juste à ça de "oui". » J'avais levé la main, montrant un écart ténu entre mon pouce et mon index.

Il avait souri et s'était renfoncé sur son siège. Au volant de la Seat Ibiza de location je laissai sur place Palma et ses grands complexes hôteliers pour filer vers la Sierra de Tramontana, dépassant les vignes suspendues de Banyalbufar, et prenant la route de Deià. Dans le ciel glissait parfois un vautour.

Les maisons de pierre aux toits de tuiles dorment, persiennes closes, sous la chaleur. La ferme, avec la bergerie, se trouve au bas de la colline et surplombe une mer de pins et d'oliviers qui descendent doucement vers la Méditerranée et une petite crique dont je ne tarderai pas à trouver les eaux apaisantes. Une barque de pêcheur y est ancrée. Mon ami Arthur a des amis chez lui, deux autres couples, installés comme eux dans la bâtisse principale de la ferme, à deux cents mètres. Il me dit de venir dîner quand je veux, ça fera tellement plaisir à Karima, pourquoi pas ce soir, tiens ? Je lui réponds que je préfère rester avec mon fils. « Tu m'excuses ? Notre temps est compté. Viens plutôt, toi, prendre un verre ce soir, avant le dîner. » Arthur acquiesce, et me tape sur l'épaule d'un geste qui me rassérène.

Je suis allé au village acheter une bouteille de *cava*, des olives de Sóller, du pain et de la *sobrasada*. Et de quoi faire quelques repas, à commencer par des pâtes *alla carbonara*, le plat préféré de mon fils. Les pâtes sont à peu près la seule chose que je sache faire, mais je les fais très bien.

Nous sommes allés nous jeter à l'eau. On a même ramé dans le canot. C'était délicieux. Il souriait de toutes ses dents de lait. L'une d'elles commence à bouger et ça le rend fier. Il est si gracieux, ce petit garçon. Il aime notre maison perdue dans la nature. « Notre maison de bandits », dit-il. Elle est minuscule, mais son carrelage est frais sous nos pieds nus quand nous revenons de la baignade et de la marche sur les pierres brûlantes. Les murs sont épais, courbes, peints à la chaux, des morceaux de granit sortent du sol et servent d'étagères. Sur la terrasse recouverte de vigne, une grande table de bois — une porte de ferme, en fait — accueille quatre chaises grossières, mais qui me plaisent. « Oui, c'est notre maison de bandits. »

Sous la douche tous les deux, père et fils. Il s'ébroue quand le savon lui coule sur les yeux. Il ne se plaint pas. Il veut vraiment me faire plaisir. Je lui enfile un short et un tee-shirt « Historias Corrientes ». Il regarde, à Paris, ce programme de Cartoon Network avec sa nounou. L'histoire de Mordecai et Rigby, un oiseau bleu dégingandé et un raton laveur employés dans une résidence qu'ils sont chargés d'entretenir. Ils glandent, ils sont cool, ils disent tout le temps « *superguay* » ou « *chachi* », qui signifient à peu près la même chose, et sont à mourir de rire. L'un de leurs amis est un fantôme avec une main toujours paume ouverte attachée à la tête. Il s'appelle Chócala, « Tope là ». C'est con. C'est drôle.

Arthur arrive, il me demande si je tiens le coup. Il me dit que mon fils peut aller quand il veut jouer avec ses enfants et les petits des Balsamo, un de ses couples d'amis. « Pour l'instant, on reste ensemble », je redis. J'ouvre le cava, on trinque. J'apporte un verre de Kas citron à mon adoré. J'essaie d'être un bon père. De reprendre confiance. Fornasetti a joué un rôle, je le sais. Le fait qu'elle l'ait mentionné, ma petite voisine, qu'elle l'aime, qu'elle en ait parlé avec cœur, me prouve que j'ai encore un peu de goût, encore de belles choses à transmettre à mon enfant. Je ne suis pas un gouffre de douleur pour lui. Je peux y arriver. Après avoir posé le papier peint dans sa chambre, je l'avais emmené voir la très belle rétrospective qu'avait consacrée au designer le musée des Arts décoratifs. Il était heureux que le musée ressemble à sa chambre, et donc que sa chambre soit un peu un musée. Je l'avais photo-graphié devant un paravent d'où jaillissaient des dizaines de bras et de mains, à taille humaine. Qui semblaient se diriger vers lui pour le proté-ger. J'avais de plus en plus peur pour lui, dans ce drôle de monde où il allait vivre, lui qui déjà n'avait pas été gâté par le destin…

« Je viendrai dîner demain », ai-je dit à Arthur.

On dort dans le même lit. Il n'y en a qu'un. Je le regarde lire et je fais des efforts pour ne pas fondre en larmes. C'est son portrait craché, comme dit ma grand-mère normande. Son por-trait en enfant. Son portrait en garçon. Ses sour-cils se froncent de la même manière. Sa bouche s'entrouvre pareillement. Ils ont la même odeur. La même odeur brune. J'ai peur pour lui aussi parce qu'il lui ressemble trop.

Je dors mal.

Je me lève avec le soleil. J'ouvre mon Mac et je regarde les photos de Paz, celles que nous avions choisies ensemble, dont certaines prises près d'ici. Je fais quelques textes pour le livre, ce qui devait être notre livre, et qui sera désormais non plus *Le livre de ce qui va disparaître*, mais *Le livre de ce qui a disparu*.

Il ne faut pas ruminer. Alors je me lève et je prépare les Miel Pops, je coupe quelques fruits en morceaux que j'ajoute au lait d'amande dans lequel nagent les boules dorées.

« Papa ! » Il vient de surgir sur la terrasse, les yeux noisette encore ensommeillés, les cheveux en bataille. « Comment va *mi hijo* ? » C'est comme ça qu'elle l'appelait, et je veux qu'il s'en souvienne. On dirait un jeune page. Je lui dis : « On se débrouille pas trop mal, non ? » « *Si Papito. Chócala !* »

« Aujourd'hui on déjeune à la *cala*. » Une paillote perchée au-dessus des flots, qui semble construite par la famille Pierrafeu. Des pierres, du bois flotté, des tressages de paille pour faire de l'ombre aux robustes tables de bois et à ceux qui s'y installent. On dévore du poulpe, des sardines grillées. On se baigne. Il essaie son nouveau masque. Il fait « waouh-waouh » dans son tuba. Des escadrilles d'anchois, torpilles argentées, passent sous ses jambes. Il est heureux. Je vais m'étendre près d'un garage à bateaux, un simple tunnel creusé dans la falaise, plein de filets de pêche, et qui sent le gas-oil.

Nous retournons dans notre bergerie. Je lui sers une *horchata*, une boisson à l'orgeat, avec des glaçons qui tintent quand il porte son verre à ses lèvres, et ses biscuits préférés, des Oreo. Je m'ouvre une bière. Il me demande la suite du conte. Je m'exécute et je fais apparaître Pulpito, l'ami de Morlamock, et son escouade de « sirânes », des sirènes qui n'ont pas le don de chanter mais celui de braire. Il s'esclaffe. Un rire sonore, un éclat de joie pure qui me fait fondre. Ensuite il dessine les personnages sur son cahier : Pulpito de retour dans la capitale des Poulpes où le roi Poulpus Ier garde tout le savoir du monde dans sa caverne bibliothèque, dont la précieuse carte du Koloristan, la seule qui existe. Je prends un livre mais je le referme aussitôt. Je préfère regarder mon fils. Il chantonne.

L'après-midi se change tout doucement en soir. Il demande que je lui allume la télévision :

« Toi, à ton époque, les dessins animés étaient en noir et blanc ? »

Je ris. *À ton époque.* « Je n'ai que quarante ans. *À l'époque* de Papy oui, mais pas à la mienne. » J'ouvre le clapet de mon MacBook. « Tiens, regarde. » J'ai toujours été frappé que les dessins animés d'aujourd'hui ne soient pas forgés sur le modèle de la saga à épisodes, qu'on retrouve dans les séries et qui plaît tant... À mon époque, on attendait la suite avec impatience, frustrés mais le cœur battant, alors que maintenant chaque unité est indépendante. Le pur présent, sempiternellement. Je vais dans le moteur de recherche, je trouve le premier épisode de « Capitaine Flam », avec la présentation du vaisseau et de l'équipage. Après ça, mon fils me demandera « Flam » tous les jours, suivra les cycles de ses aventures sidérales et sidérantes, et ne dira plus jamais qu'enfant je voyais la vie en noir et blanc.

On s'habille pour sortir dîner.
« Il y aura des enfants, je dis.
— Les enfants d'Arthur ?
— Oui, et d'autres. Les enfants de ses amis. »

Il semble tendu. Je le suis autant que lui.

« Ça va aller, je dis.

— Mes amis me manquent. »

Tant que ce manque se limite à ses amis… On n'en parle pas s'il n'en parle pas. Le psy m'a dit de le laisser faire.

J'enfile un pantalon de toile et ma vieille chemise en jean. Arthur a fait une paella, aidé par la fermière. En tablier, il s'affaire devant la poêle géante, léchée par les flammes d'un feu de bois. Sa femme le couve du regard et ce regard, amoureux, est douloureux pour moi. Il a rencontré Karima après sa rupture avec Vanina qui est partie avec un autre, au bout du monde.

« Je suis la preuve vivante qu'on peut recommencer, m'a-t-il dit un jour.

— Elle t'a quitté. Elle n'est pas morte. »

Ils passent d'ailleurs toujours Noël ensemble, avec les enfants, en territoire neutre. Le plus souvent à la montagne. Parfois sur la côte basque. Il leur est même arrivé de recoucher ensemble. « Ça n'avait pas le même goût », m'avait dit Arthur. Je n'avais pas aimé l'expression et j'y repense au moment où le parfum des coquillages, du safran et du feu de bois monte agréablement à mes narines. Je me détends. Les herbes de la garrigue font leur effet et le vin majorquin, qui coule dans les verres, aide pas mal.

« Tu veux un coup de main ?

— Repose-toi. Je gère. Les enfants ont été gavés de croquettes au *jamón* par la baby-sitter. Ils sont en train de jouer, ils vont regarder un

Disney. Tu ne t'occupes, tu ne t'inquiètes de rien. » Mon fils vient me donner un baiser, ce qui attendrit tout le monde.

Le veuf attendrit toujours, surtout quand il est un jeune père.

Karima me présente leurs amis. Il y a les Vairon, Isabelle, thérapeute, mais qui se définit comme « médecin de l'âme », et Jérôme, qui est architecte. « Comme Nana », je me surprends à penser.

Il y a aussi les Balsamo, que j'ai déjà rencontrés, des profs de fac, et trois autres amis, qui logent au très bel hôtel du village ; une fille au teint frais et aux longues jambes qui s'appelle Iris et qui est fleuriste, ça ne s'invente pas, et un couple d'hommes, Laurent, dentiste dans le XVIIᵉ, et Djibril, ancien trader algorithmique devenu *data scientist*, profession dont la tentative de définition fournit le sujet de la première discussion du dîner. Nous avons en effet tous promis de ne pas parler de terrorisme. Djibril est charmant et pédagogue, il explique que son « job » consiste à analyser et modéliser les datas dont dispose une entreprise, de façon « intelligente » et en temps réel, afin d'améliorer l'activité de la boîte et de « générer plus de richesses ». Il nous parle de « briques NoSQL », de « *machine learning* » et, voyant que la plupart des convives ne comprennent rien et se contentent d'écouter poliment, il résume : « Il s'agit typiquement de déterminer par algorithme ce que le client aime pour pouvoir ensuite lui proposer ce dont il a l'habitude. Et, quand on ne connaît pas encore ses habitudes, de relever toutes les traces qu'il a laissées sur internet afin de prédire ce qu'il achètera. Et de fait, il achète.

— En fait tu aides les boîtes à vendre encore plus, dit Karima.

— Pas "encore plus" : encore mieux.

— Et puis c'est pas seulement de la vente, ajoute Laurent. Dans le domaine de la santé, c'est extrêmement précieux. Grâce à la collecte des données, la médecine va atteindre son but ultime, non plus seulement soigner les patients sans savoir si on va les guérir, mais prévenir les maladies sans avoir besoin, donc, de les guérir. On va vaincre la mort...

— Reste les accidents », ose l'architecte, immédiatement tancé du regard par Arthur, qui a dû dire à tout le monde que certaines allusions étaient prohibées ce soir. Il me décoche un clin d'œil. Sous-entendu : « Ne le prends pas mal. »

Djibril nous raconte qu'en 2008 environ 480 milliards de gigaoctets de données diverses étaient disponibles sur internet et qu'aujourd'hui c'est quelque huit zettabytes. Il prononce « zettabaïte ».

« On ne dit pas "zettabite" ? » demande Chloé Balsamo.

Son mari manque de s'étrangler avec une langoustine luisante d'huile biologique. Mme Vairon, elle, cesse de mastiquer la sienne. Le crustacé pend entre ses lèvres.

« Euh non, dit Djibril... On dit "baïte". Les bits, c'est différent, c'est une autre mesure. Un

"zettabaïte" fait huit zettabits. C'est-à-dire l'équi-
valent, en volume, de 250 milliards de DVD.

— Et moi qui peine à récolter mille abonnés
sur Instagram », commente Karima en reservant
du riz au dentiste dont le sourire est impeccable,
faisant mentir l'adage selon lequel les cordonniers
sont les plus mal chaussés.

La discussion glisse sur moi. Je m'ennuie, mais
pas trop. Grâce aux dieux aucun sujet ne me
concerne vraiment de près. On me demande
si le journal a parlé des *data scientists*. « Oui,
comme le métier le plus sexy du XXIe siècle. »
Djibril sourit, touché.

« Je dis toujours qu'il est la synthèse de
Colomb, pour le côté explorateur de ces océans
de données, et de Colombo, parce qu'il doit les
faire parler comme un inspecteur ses indices,
ajoute Laurent en lui caressant l'avant-bras, geste
qui me rend un peu triste.

— Qui veut du vin ? demande Arthur.

— Il est délicieux, dit l'architecte. Je m'étonne
quand même qu'avec toute cette connaissance
des données, on n'arrive pas à arrêter les terroristes qui laissent, eux, tellement de traces sur
les réseaux sociaux…

— Jérôme ! dit Karima, on a dit qu'on n'en
parlerait pas.

— C'est vrai, excuse-moi. »

Iris, la fleuriste, me regarde avec des yeux brillants. Rien d'étonnant. D'abord je ne parle pas
beaucoup, et l'on prête énormément aux garçons
silencieux. Ensuite, étant veuf, non seulement

j'attendris mais je suis, par définition, un cœur ou un corps à prendre, et même le seul à cette table.

L'architecte questionne Iris sur sa vocation de fleuriste ; elle répond que lorsqu'elle était enfant, sa mère mettait des fleurs dans toutes les pièces de la maison, salle de bains comprise, et sur son cartable d'écolière, une par jour. Je trouve l'idée belle. Iris a longtemps été chasseuse de têtes avant de chasser pour elle-même, prenant conscience que le salariat n'avait plus d'avenir, thème autour duquel tournera la deuxième conversation du dîner. Iris tient des propos responsables sur le bilan carbone d'une fleur importée de l'Équateur, rappelle qu'elle est à Rungis tous les matins, qu'elle n'achète qu'à vue, et ramène son métier à une seule question : « comment travailler avec des éléments naturels dans un monde où la technologie, et plus encore le virtuel, sont l'alpha et l'oméga de tout ? ». Passionnée, elle nous apprend que la gypsophile est passée de mode au contraire du delphinium ou des *Heliconia*. Elle utilise des expressions qui m'enchantent, comme « les belles oubliées », pour parler de fleurs à nouveau en vogue, et les « *unexpected wild* ».

« "Les sauvages inattendues" ?

— Le lisianthus, la primevère, l'agapanthe, ou l'iris sauvage… », répond-elle en me regardant plus intensément.

Elle évoque un superbe mariage dont elle avait organisé la décoration florale, exigeant que les chambres soient fleuries à la fin de l'après-midi, et non le matin. « Les parfums du soir, avec la légère rosée, sont les plus enivrants. » La conversation roule sur un autre sujet. Je suis toujours aussi passif, je lance une phrase quand il le faut, pour qu'on ne m'embête pas, je me laisse porter, je n'ai pas à faire attention à celle qui m'accompagne puisque personne ne m'accompagne, et c'est très bien comme ça. La fleuriste me regarde encore, à la dérobée. Moi je regarde la table et les bougies qui dans la nuit jouent les lucioles. Je me souviens de l'un des premiers contes racontés à mon fils. L'histoire d'un papillon de nuit qui sort tous les jours au crépuscule pour faire la cour aux fleurs et les trouve toujours fermées. Il rêve donc d'être un papillon de jour et de pouvoir toutes les butiner. On a rarement vu des yeux d'insecte réclamer aussi bien l'amour.

Oui, vraiment elle me regarde. Elle n'écoute pas la conversation, ou seulement distraitement. On dirait bien que je suis revenu sur le marché du désir. J'essaie de m'imaginer entre ses jambes, et je balaie l'idée car je trouve l'image suscitée ridicule. Longues jambes bronzées, jolies dents, sensibilité certaine, elle n'a pourtant rien de rédhibitoire, mais non. Cela ne m'intéresse plus. Ma bite n'existe plus. Je n'ai d'érections que dans mes rêves, ou dans les grottes quand je pense à Paz. Je vis comme je rêve, au fond... Pourquoi je dis « au fond » ? Ça plairait à mon connard d'analyste.

Tout va bien. Enfin tout allait bien. Jusqu'à ce qu'une cohorte d'enfants se déverse hors de la maison pour nous rejoindre sur la terrasse.

« Papa, Papa ! » crie une petite fille, l'aînée d'Arthur, qui se poste bien droite devant lui, dans une attitude très solennelle. Les autres enfants l'imitent. Le moment paraît grave.

« Il a dit que sa mère était au fond des océans. »

Le silence retentit comme si la lune était tombée sur la table. Je cherche mon fils des yeux. Il n'est pas là, il a dû rester à l'intérieur.

« C'est pas grave, dit Arthur, qui veut écourter la parenthèse. Allez regarder *Nemo*, et soyez sages. »

Il s'aperçoit de sa connerie. *Nemo* ? L'histoire d'un poisson-clown qui a perdu sa mère. J'ai presque envie de rire. « Ou plutôt demandez à Angela de vous mettre un autre film.

— Mais Papa, pourquoi il dit des bêtises ? » insiste la petite fille.

Mon sang ne fait qu'un tour. J'appelle mon fils qui arrive jusqu'à nous, tête baissée.

« Qu'est-ce que tu as dit ? je lui demande.

— C'est pas très grave », dit Arthur.

J'insiste :

« Tu peux répéter ce que tu leur as dit ? »

Il ne relève pas la tête. La petite fille ne se fait pas prier et lance à nouveau, en me regardant, très sérieuse : « Il a dit que sa mère était au fond des océans. »

J'attrape mon fils et le prends dans mes bras.

Je plonge ma main dans ses magnifiques cheveux.

« Eh bien, c'est vrai, figure-toi, je réponds à la petite fille. Sa mère est au fond des océans. Il ne dit pas de bêtises. »

Mon fils relève la tête. Il est surpris, reconnaissant. Il n'y a plus un bruit autour de la table. Personne ne sait que dire. Les adultes, concentrés, attendent, un peu lâchement, que la gamine enchaîne.

« C'est une sirène ? demande-t-elle.

— Une sorte de sirène, oui. Sans queue de poisson, mais encore plus belle.

— Et c'était ton amoureuse ?

— Oui, c'était mon amoureuse. Et c'était sa maman. »

Mon fils se presse davantage contre moi. La petite fille lui dit : « Excuse-moi, je croyais que ce n'était pas vrai. » Puis elle lui prend la main et ils retournent dans la maison. Arthur ressert du vin. Les gens me regardent avec pitié et je déteste ça. Heureusement le dessert arrive, et offre une potentielle nouvelle rampe de lancement à la conversation.

« Il paraît que l'origine est arabe, dit l'architecte en découvrant la belle ensaïmada, le gâteau local, que Karima vient de poser sur la table.

— À cause de la forme en turban ? demande le dentiste.

— Beaucoup de choses sont d'origine arabe, dit l'architecte. Ce fut une grande civilisation.

— Pourquoi *"ce fut"*? s'insurge Chloé Balsamo.

— Ben, parce qu'en ce moment c'est quand même pas ce qui ressort, la civilisation…

— On a dit qu'on n'en parlerait pas…, rappelle Karima.

— Tu as raison, parlons de Pokémon Go.

— Tu as vu qu'un conducteur a crashé sa bagnole en essayant d'en attraper un ?

— Une autre forme de terrorisme, blague Djibril.

— Oui, mais eux on les capture.

— Jérôme ! »

Au moment de faire la vaisselle, alors que je me trouve à côté d'Isabelle Vairon :

« C'était bien ta réaction, me dit-elle, les mains dans la mousse.

— Merci. » J'attaque l'essuyage du huitième verre.

« Mais attention à ne pas trop l'installer dans un monde imaginaire.

— On fait ce qu'on peut. » Je repose le torchon et quitte la cuisine. Je ne suis pas son patient, je n'ai pas demandé de conseil.

Dehors, je sens le parfum du menthol. La fleuriste est adossée contre un petit muret. Le point de sa fine cigarette rougeoie entre ses lèvres.

« Vous allez rentrer ? me demande-t-elle.

— Bientôt, oui. Je vais coucher mon fils.

— Tous les enfants dorment. Vous ne voulez pas prendre un dernier verre à l'hôtel ? »

Je décline poliment.

« Je pourrais vous montrer mes fleurs.

— Ça doit être très beau mais je vais rentrer. »

Elle tire une longue bouffée, le bout de sa cigarette rougeoie un peu plus.

« Vous êtes sûr ?

— Oui.

— Dommage. Cela vous aurait fait du bien... »

Sa voix est devenue rauque. Elle ajoute : « On peut faire des choses très agréables dans les pétales de fleurs. »

Je tranche net. « Je suis allergique au pollen. »

Je rentre dans la maison. Je pousse délicatement la porte de la chambre des enfants. Un amas de tout petits corps sur des matelas. Je me baisse, je déplace un bras, une jambe, un doudou, je trouve mon fils et je l'emmène. Il est lourd. Je repense à son poids, si léger quand elle est partie. Au fond des océans, oui. Il s'accroche à moi. Je suis l'ultime bouée. Ainsi chargé, je dis au revoir aux invités, et à Arthur et Karima, que je remercie.

« Ç'a été quand même ? me demande Arthur.

— Oui. Ne t'en fais pas. Je vais coucher le petit. Et moi avec. »

Dans le coassement des grenouilles qui semblent commenter ma progression, j'affronte le chemin pavé de pierres mangées par les mousses, aidé par la lumière de la lune et des étoiles. Sa joue est chaude sur mon épaule. Je vis un beau martyre.

Aqualand

C'est le royaume de l'eau, du soleil et du caoutchouc. L'adrénaline coule à flots dans les tubes labyrinthiques, qui ondulent, se croisent et se tordent comme des spaghettis géants dans le ciel de Majorque, shootant les êtres humains apeurés et ravis qui les dévalent. *Rapidos descensos et vertiginosos giros.* La devise est écrite en grand à l'entrée du site tant convoité, comme le « connais-toi toi-même » au fronton du temple d'Apollon, à Delphes. Mon petit gars franchit le portique à toute vitesse dans son bermuda bleu à imprimé ancres marines rouges, et son tee-shirt « Adventure Time » — son autre dessin animé préféré.

Si Aqualand est le royaume des rapides et des virages vertigineux, il est aussi celui de la graisse. La peau d'orange, le plus souvent anglaise, parfois allemande, luit sous la crème solaire. Le spectacle est violent. Mon fils ne s'y arrête pas. Il veut aller au Grand Canyon.

« *La mejor atracción para la familia.* C'est pour

les familles, Papa. Tous les deux on est une famille, alors on peut y aller. »

Touché au cœur, le paternel. La famille gravit en courant les escaliers de la tour qui nous mènent à trente mètres au-dessus du sol. Un donut jaune est guidé jusqu'à nous par les mains d'une employée vingtenaire blonde en brassière, minishort, et diamant au nombril. Sur son fessier musclé, en lettres jaunes, le mot « *Lifeguard* ». C'est donc en toute confiance que nous prenons place sur l'objet rond, jaune et gonflé. « *Disfruta* », dit-elle. Elle a de beaux yeux verts. Évidemment je pense à Nana avant de serrer très fort mon fils dans mes bras.

je pars en arrière il hurle d'excitation la peur se mêle au plaisir mélange émotionnellement explosif qui ne dure que quelques secondes on glisse à toute vitesse on vite à toute glissade choc et sensation de froid liquide le donut s'est retourné dans l'eau nous y précipitant nous comme des baleines

ça s'appelle les rapides toujours le principe du donut mais le tube
dessine une rivière avec ses coudes ses cascades ses cataractes ses lacs
intermédiaires nous avons chacun notre bouée on se tient par la main
c'est lui cette fois qui part en arrière il rit il boit la tasse il rit encore

banzai vuela sobre el agua le cri des kamikazes
éminemment simple et efficace cramponnés à une
on dévale un toboggan pentu à 60° qui débouche sur
l'impression de survoler comme sur un tapis volant ou

baptise une attraction
luge munie de poignées
un plan d'eau qu'on a
à bord d'un chasseur zéro

Je fais une pause pendant qu'il enchaîne
avec Crazy Race. Allongé sur le dos, comme
trois autres concurrents sur trois couloirs parallèles, les bras le long des cuisses, consciencieux,
concentré, performant, il descend à une vitesse
insensée un plan incliné arrosé par des jets
d'eau qui lui en foutent plein les yeux avant le
plongeon final. Je suis pris de peur alors qu'il

est propulsé dans le bassin avec ses trois compétiteurs. Pourvu qu'il ne se soit pas cogné la tête. Une expression me percute le cerveau : « coup du lapin ». Je me rue comme un fou dans le bassin malgré le sifflet furieux d'une *lifeguard*. Mon fils émerge triomphant de l'eau chlorée. « On va manger. » Il marche, je me délecte du spectacle de son corps bronzé éclaboussé de gouttelettes, et de la joie qui se lit sur son visage exultant en cette merveilleuse journée de pur divertissement.

Au déjeuner, nous nous empiffrons avec bonheur de junk food régressive et calorique à souhait. Le summum : des frites engluées dans une mayonnaise et un ketchup qui nous coulent sur les doigts et nous font d'immondes peintures de guerre sur le visage. On se fiche de tout. C'est salé et c'est bon. « *Me mola !* » me dit-il. « J'adore. »

« Ça veut dire quoi, "morte" ? demande-t-il alors que nous faisons la queue pour la Cola del Diablo, qui jouxte le Grand Canyon.
— Ça veut dire que ton corps n'est pas là mais que ton esprit est dans toutes les têtes.
— Dans toutes les têtes ?
— Celles des gens qui t'aiment et qui pensent à toi comme si tu étais là.
— Ça veut dire qu'elle est là ?
— À partir du moment où on pense à elle, elle est là.

— Elle a quitté le fond des océans alors ?
— Elle peut être partout.
— Comme un nuage autour de nous ?
— Comme un nuage. »

On gravit quelques marches.
« J'ai du mal à me rappeler d'elle.
— C'est normal, tu étais petit. Tu es petit.
— C'est mal, tu crois ?
— Non, ce n'est pas mal. Et puis je te raconterai plein de choses sur elle.
— Elle aurait aimé être ici ?
— Oui, ça l'aurait amusée.
— Pourquoi elle a décidé d'être morte alors ?
— Elle n'a pas décidé.
— Qui a décidé ? »
Je sèche. Mais il faut répondre :
« La vie.
— La vie est méchante alors ?
— Tu trouves que la vie est méchante ?
— Non. »
Ses yeux sombres me dévisagent. Mon fils est trop beau.
« Tu es triste, Papa ?
— Pas quand je suis avec toi. »
Je m'agenouille. Je prends sa tête entre mes mains et je lui dépose un baiser sur le front. On nous fait signe d'avancer.
« Je t'aime mon petit papa.
— Je t'aime aussi. »

nous sommes dans la cola
d'enfer je jure de sortir
sommes en prenant

del diablo la queue du diable pour lui de l'autre enfer pour s'il le faut appui sur les poils

et filons à un train
moi pour la famille que nous
du malin d'autres l'ont fait je le ferai

Nana en sa demeure

J'arrivais du Havre, où j'avais laissé mon fils avec en tête le dernier épisode de notre grand roman dessiné de l'été *Les aventures de Morla-mock*. Notre héros était arrivé au Koloristan. Pour apprendre que les Tristes Sires, adorateurs du dieu Terne et toujours vêtus de gris, avaient fait sauter le temple Bariolé où l'on vénérait les pigments qui servaient à fabriquer les couleurs. Dans ces montagnes, loin de sa mer natale, Pulpito se desséchait. Il fallait donc s'enquérir du lac Bleu où il retrouverait son élasticité naturelle. Je m'étais endormi plusieurs fois en racontant cette histoire de plus en plus délirante. À intervalles réguliers, mon fils me tirait du sommeil en me rappelant des phrases que j'avais lancées sans m'en rendre compte. « Et le gardien du lac Bleu ? Il a dit quoi ? » Un dessin suivrait, lui avais-je promis.

Nous nous étions baignés une dernière fois sous un ciel bleu gouaché de nuages tourbillonnants : une palette impressionniste. Nous sautions par-dessus les vagues qui déferlaient dans toutes les nuances de vert. À trois cents mètres, sur la ligne d'horizon, un supertanker chinois glissait entre les digues. La vie revenait.

Pourquoi est-ce que je rentrais à Paris ? m'avait-il demandé.

Je n'étais pas prêt. Il fallait encore éloigner la dépression, toujours à l'affût. Organiser le manque, reconstruire un nid où nous serions bien, tous les deux. Où je ne lui offrirais pas seulement le spectacle de la douleur d'un père massacré. En ce sens, notre petit séjour majorquin avait été une réussite. « Pourvu que ça dure », comme disait la mère de Napoléon.

*

Je marchais tranquillement, mon sac de voyage sur l'épaule, en regardant le soir tomber avec des grâces roses, orange, bleu foncé, lorsque je la vis garant son scooter, une Vespa 946 blanche à selle rouge vif. Chaussée de baskets blanches, portées avec une robe tunique pourpre, de larges lunettes noires sur le nez.

Je me suis arrêté. Elle a retiré son casque. Ses cheveux blonds étaient retenus en un chignon très serré. Je suivais des yeux les lignes de son visage ovale, son menton énergique, ses longs cils et ses yeux en amande, très écartés, son nez droit comme ceux des saintes sur les icônes ou des statues antiques dans les musées. Sa beauté n'était pas parfaite. Mais elle frappait.

« Alors vous êtes parti vous aussi ? dit-elle.

— Quelques jours, oui. »

J'ai poussé devant elle la lourde porte de métal et de verre. Elle s'est faufilée dans l'entrée puis dans l'escalier, me laissant admirer le délié de sa nuque, la finesse de ses chevilles, la peau hâlée sous laquelle jouaient ses muscles longs. En avais-je le droit ? Arrivée à notre étage, elle s'arrêta pour chercher ses clefs. Je sentais sur mes épaules le poids — oublié grâce à mon fils — de la solitude.

Elle tourna la clef dans la serrure et ouvrit la porte.

« Vous avez le temps de prendre un verre ? »

J'ai posé mon sac dans l'entrée. Ce que je vis me laissa coi.

Dans le couloir, c'est d'abord moi que je rencontrai, reflété dans un splendide miroir encadré de branches d'or. Deux bancs du même métal l'entouraient. Des meubles de François-Xavier Lalanne, ami de Magritte et de Brancusi. Nana m'invita à passer dans le salon et me désigna un canapé Art déco. La lumière entrait à peine, barrée par de lourds rideaux qu'elle écarta, avant de s'installer dans un fauteuil cubique recouvert de galuchat crème. Près de la fenêtre le Lockheed Lounge de Mark Newson, un divan en aluminium qui ressemblait à une partie de fuselage d'avion, étirait ses formes pop. Ces pièces valaient une fortune. Nana fit glisser ses baskets et posa ses pieds sur la table basse, écartant les livres d'art et les catalogues de vente qui la recouvraient. Les murs étaient constellés de cadres, peintures, dessins et photos ; deux torses antiques, mâle et femelle, gardaient la porte du fond. Un meuble que je connaissais bien, un « secrétaire », comme on disait jadis, reproduisait la façade d'un palais Renaissance. Il s'ouvrait, je le savais, comme s'ouvre une maison de poupée, découvrant des pièces, des colonnes et des escaliers en trompe l'œil. Le Trumeau Architettura de Piero Fornasetti.

« Il est superbe. »

Elle ne répondit pas. Le salon recelait d'autres surprises. Sur une table à motifs géométriques de Gio Ponti, une collection de céramiques italiennes. Des vases de formes primitives, créés par Guido Gambone dans les années 60, une série des années 80 de Lucio Liguori, le céramiste de Raito, en forme d'œufs d'autruche finement peints de motifs représentant les maisons et églises de son village. Des créations d'Ernestine, l'Américaine de Salerne, dont les délicates fleurs étaient immédiatement identifiables pour moi car Paz les adorait. On ne passait pas un séjour sur la côte amalfitaine sans aller à la recherche de ces merveilles devenues malheureusement introuvables.

« Je devine ce que vous vous dites, me lance-t-elle.

— Je me dis quoi ?

— Que je suis un peu trop bien installée, pour une étudiante. Ce n'est pas à moi, vous savez. C'est à mon père. Ça va, il ne vient pas souvent.

— Ce n'est pas si désagréable, non ?

— Ça peut l'être. Cela crée une sorte de distance. Quand mes amis découvrent cet endroit. »

Pauvre petite fille riche, ai-je pensé avant de dire tout haut :

« Si c'est trop gênant, il y a toujours le garde-meuble. »

Elle s'est rembrunie. J'ai senti que la colère ne lui était pas étrangère.

« C'est chez lui. Et il tient à retrouver les choses à leur place.

— Il fait quoi votre père ?

— De l'argent… »

Elle avait dit ça avec mépris. Elle s'est levée, est revenue avec une bouteille de vin. Un cru spectaculaire.

« Cela vous va ?

— Plutôt. C'est à votre père, aussi ? »

Elle a hoché la tête. Pendant que je l'ouvrais, elle a actionné une touche sur son ordiphone. La voix d'une chanteuse folk à la mode s'est fait entendre. Tout se mettait en place pour quelque chose que je n'étais pas sûr de vouloir.

« Je vous ai rapporté un cadeau », a-t-elle dit en me désignant un paquet.

J'ai défait l'emballage. C'était une petite chouette taillée dans un morceau de bois d'olivier.

« Elle vient d'Athènes. Elle ressemble un peu à celle de votre collection de livres. »

Je l'ai regardée. Elle souriait avec douceur. Je pensais à Paz, à nos moments de tendresse évanouis.

« C'est adorable », ai-je dit. J'étais, je dois l'avouer, assez bouleversé par son geste.

« Et vous, vos vacances ? a-t-elle demandé.

— Je n'ai pas de cadeau pour vous.

— Vous paierez le moment venu. »

Elle se mit à rire. Sa jeunesse était une claque. Tout ce que je savais ne me servait à rien. J'aurais donné beaucoup pour remonter le temps, retrouver l'insouciance, l'assurance cruelle de mes vingt ans.

« Alors ? »

Je lui racontai. La bergerie, Deià, mon fils.

« Vous avez un fils ? »

Avais-je perçu une déception ?

« Il a quel âge ?

— Six ans.

— Vous n'êtes plus avec sa mère ?

— Partie. »

J'ai marqué une pause, lutté pour ne pas m'abîmer dans l'émotion. Elle n'a pas insisté. M'a parlé de la Grèce. Elle avait travaillé, un projet à rendre pour l'école. Elle s'était baignée, aussi, avait fait du bateau et regardé des séries. « Vous avez vu "Vikings" ? » L'histoire de Ragnar Lothbrok, Ragnar aux braies velues, me dit-elle, guerrier puis chef de clan visionnaire lancé à la conquête des riches terres de l'Ouest saxon. « Il y avait une femme intéressante. Une *skjaldmö*.

— Une quoi ?

— Une manieuse de bouclier, une femme qui fait la guerre. Nous n'avons même pas trinqué. »

La brûlure de l'alcool m'aida à soutenir son regard. Pourquoi se moque-t-on des garçons qui disent aux filles qu'elles ont de beaux yeux ? L'érotisme est dans le visage. Dans le dessin d'une lèvre, une fossette, le froncement d'un sourcil.

J'étais impressionné par l'étendue de ses connaissances. Sa conversation. Son enthousiasme. La nuit était tombée et, pour une fois, le ciel était limpide. Elle s'est livrée à quelques remarques sur les constellations. Et m'a appris que Ptolémée avait rassemblé des connaissances sur près de mille vingt-deux étoiles. Elle avait beaucoup voyagé avec son père, connaissait le lac Inle en Birmanie et la ville de Chichicastenango où les derniers chamans mayas invoquent les esprits avec du Coca-Cola. Deux lieux où j'étais allé. Elle avait été élevée entre la Grèce et la Suisse. Mais n'avait pas aimé l'atmosphère helvète. « Les lacs me plombent. » À Paris, c'était mieux. La Seine coulait, au moins. Elle avait des amis, elle sortait, la ville lui plaisait, même si les Français étaient un peu abattus, méprisants parfois envers les Grecs, quand bien même ils essayaient de le devenir l'été, à Patmos ou Amorgos. Elle avait été traitée de Turque dans une soirée.

« Ce n'est pas vraiment une insulte.

— La pire », répondit-elle du tac au tac.

Elle jeta un coup d'œil sur une pendule.

Les heures étaient indiquées par Saturne et les minutes par des étoiles filantes. Et ça filait… Dommage, j'étais bien avec elle. Puis j'ai repensé à Paz, et j'ai eu honte d'être là, comme si je trahissais son souvenir. Est-ce qu'elle ne me trouverait pas pathétique ?

On revint à son père. Il était pour beaucoup dans son choix de carrière. Il l'emmenait dans les musées. Lui avait transmis un certain nombre de ses goûts. Elle était très proche de lui, et réciproquement.

« Je ne quitte jamais sa tête… » Elle s'arrêta et reprit : « Malheureusement… »

Elle aurait aimé qu'il la laisse vivre. Elle regarda encore la pendule. Le départ pour Paris s'expliquait aussi par son envie de s'éloigner. Même s'il venait de temps en temps. Sinon, il vivait en Grèce. Enfin, un peu partout. Où il voulait. Il avait une épouse, qu'il « supportait ».

« Votre mère ?

— On peut dire ça. » Elle enchaîna. « Enfin, elle aussi il faut qu'elle le supporte. Mon père est très… volage. C'est comme ça qu'on dit ? »

Elle prit une gorgée de vin. J'ai demandé des nouvelles de Marcello. Il n'était pas allé en Grèce avec elle. J'ai fait remarquer :

« Marcello, ça ne sonne pas très grec.

— Marcello n'aime pas ce qui sonne grec.

— Pourquoi ?

— Il dit que ça fait gay », a-t-elle répondu, avec une moue. Elle prononçait « gaye ». Comme Marvin Gaye. Nous n'avons pas eu le temps d'aborder le reste de la famille. Si, un oncle, qui arrivait dans une dizaine de jours, et c'est d'ailleurs pour ça qu'elle m'en parla. Elle voulait m'inviter. « On fait une fête ici pour lui. Enfin, une fête… Il va lire des textes.

— De qui ?

— De lui. »

Il s'appelait Nikos Stygeros. Il était très connu en Grèce, où son nouveau livre avait déclenché une polémique. « Un roman poétique sur le déclin du christianisme ; et là-bas on ne plaisante pas avec le sujet. Il a reçu des menaces. J'aimerais bien vous le présenter. » J'étais en train d'imaginer la suite. J'avais l'impression, à son contact, de pouvoir, peut-être, me libérer un peu, dire des choses de moi. Allions-nous prolonger ? Dîner ? En étais-je seulement capable ? Je rêvais : elle lança en effet un nouveau regard sur la pendule. Un mauvais pli apparut sur son front. Il fallait qu'elle s'en aille. Je devais partir. C'était brusque. Je me suis exécuté. J'ai saisi la raison de cette hâte environ trois heures plus tard.

Orgasmique

Je n'avais pas bougé de chez moi. M'étais contenté de prendre le pouls de la planète en palpant ma télécommande et l'écran de mon ordiphone. La guerre, la guerre, la guerre, cui-cuitait le petit oiseau bleu. De pauvres gens dans des canots, puis des tentes, puis des cars, puis des avions, et qui recommençaient avec encore des canots, puis des tentes, et parfois le châssis d'un semi-remorque. Des spectres d'enfants qui erraient dans des villes en flammes. Le retour des nations et des murs, des grandes gueules et des discours simplificateurs. Les fictions brandies comme des vérités, les vérités comme des fictions. Le temps des grands débats : était-ce l'islam qui se radicalisait ou la radicalisation qui s'islamisait ? Le peuple contre les élites, et finalement toujours dindon de la farce, dindon de la force.

J'avais réinvité le silence. La petite chouette offerte par Nana nichait désormais dans la bibliothèque. Depuis le fauteuil où je m'étais allongé pour lire, une sorte de divan en zigzag qui m'avait toujours rappelé les couchettes des compagnons de Tintin dans *On a marché sur la Lune*, l'oiseau semblait me faire un clin d'œil. Quel joli geste elle avait eu ! J'avais ouvert *La guerre du Péloponnèse* de Thucydide. Le plus grand historien de l'Antiquité avait montré que l'âge d'or de la Grèce lui avait aussi apporté deux guerres terribles : une guerre contre un ennemi commun, les Perses, suivie d'une guerre entre les Grecs eux-mêmes.

καὶ τότε ἄλλη τε ταραχὴ οὐκ ὀλίγη καὶ ἰδέα πᾶσα καθειστήκει ὀλέθρου, καὶ ἐπιπεσόντες διδασκαλείῳ παίδων, ὅπερ μέγιστον ἦν αὐτόθι καὶ ἄρτι ἔτυχον οἱ παῖδες ἐσεληλυθότες, κατέκοψαν πάντας·

« Partout une grande confusion régnait, et la mort se déployait sous toutes ses formes. Ils fondirent sur une école, la plus importante d'ici, où les enfants venaient juste d'entrer : ils les massacrèrent tous. »

Tout continuait. Un nouveau cycle de violences s'ouvrait. Même à l'heure du coltan et autres métaux rares, c'était toujours l'âge de fer.

J'étais en pleine lecture lorsque j'entendis un bruit très identifiable de l'autre côté du mur.
Des cris.
Des cris de joie.

Plus exactement, des cris de jouissance.

Mais une jouissance extraordinaire, car extraordinairement aiguë, puis extraordinairement rauque. Plus que des soupirs, des feulements de savane. L'expression d'une satisfaction des sens qui dépassait en intensité tout ce que j'avais pu connaître.

Il y eut des bris de verre, le bruit d'une chute : une lampe de chevet qui se fracasse, un vase qui tombe d'une table ? Je me pris à hésiter. Était-elle en danger ? J'étais à deux doigts d'intervenir, mi-voyeur, mi-secouriste, quand un nouveau son dissipa toute ambiguïté. Un simple mot : « *Nê.* » « Oui », en grec.

Mais un « *nê* » étiré — un cap, une péninsule de « *nê* ». Un acquiescement enthousiaste au plaisir qui vient.

Ensuite il y eut un long silence. Puis une cascade d'éclats de rire.

Alors c'était ça, la raison de sa précipitation, à ma petite voisine si préoccupée par les étoiles filantes de la pendule ? Peur de ne pas être au rendez-vous, petite fille gâtée, de l'orgasme hallucinant qui l'attendait ? Je dormis mal. La tristesse m'était retombée dessus comme un nuage noir filasseux. Je repensais à Amalfi, aux amants de la pension. La planète entière aimait, célébrait la vie, jouissait. Moi j'étais seul et maudit.

Lake Stymphalia

Parfois, il me semblait encore me mouvoir dans le brouillard. Pour ne pas me perdre de vue je me concentrais sur le travail. L'été était propice aux mues. À l'Entreprise, on cherchait des idées. Mais ouvrir des horizons dans un pays obsédé par ses racines et persuadé de sa décadence était une tâche de Sisyphe. À l'heure de la dépendance à l'immédiateté, l'information n'informait plus. Et trop vite l'actualité devenait inactuelle : la suivre, c'était mourir d'essoufflement. Il fallait donc la devancer, couper par d'autres chemins moins autoroutiers. Être buissonnier, peut-être pirate, proposer un regard, un ton, un style, des histoires différentes. Notre monde en regorgeait. Et le besoin de récits, d'oxygène narratif, n'avait jamais été aussi grand dans un monde paradoxalement rétréci par l'hypercommunication. Il fallait juste prendre le temps, écouter, en finir avec l'impatience qui épuisait, le désenchantement qui gagnait. Prendre de la hauteur ou voler sous les radars, avoir l'œil de l'aigle.

Certains de mes collègues, essorés par les cadences et le manque à gagner, s'étaient rendus à la prophétie selon laquelle notre métier allait disparaître. Dans une conférence de rédaction, une jeune pigiste du service high-tech avait rétorqué à ces Cassandre qu'il fallait se réjouir que des programmes soient aujourd'hui capables de rédiger 36 000 articles en une soirée pour donner les résultats d'une cantonale à mesure qu'ils tombaient. « Ça libère du temps pour que les journalistes humains puissent se consacrer aux analyses. » Journalistes humains, j'adorais l'expression.

*

Après un rendez-vous avec un espoir désespéré de la politique française (« quand je dis "humanisme", on me dit que je suis trop XXe siècle, et quand je prononce le mot "Europe", les gens sortent leur flingue »), j'avais pris un verre avec une actrice française que j'aimais bien, connue pour ses rôles de muette. Dans la vraie vie, elle parlait d'or. Elle m'avait demandé si j'allais mieux, et appris qu'Hollywood l'avait recontactée pour la suite d'un film de super-héros où elle avait excellé en archétype de la Parisienne.

« Mais je croyais que tu étais morte ?

— Ils veulent me ressusciter. Ils offrent beaucoup d'argent, mais j'ai d'autres projets. Je voudrais tourner un film sur ma mère.

— Elle a eu une vie spéciale, ta mère ? »

Elle a pris une gorgée de whisky avant de répondre :

« Non, mais c'était une mère. »

La phrase de mon fils m'est revenue en tête : « *J'ai du mal à me rappeler d'elle.* »

Elle allait à une fête de fin de tournage, avec des Chiliens. « Il y aura du pisco *sour*. » J'adorais le pisco *sour*. Elle le savait. Elle savait le reste aussi.

« Je préfère rentrer.

— Tu sais, m'avait-elle dit, la suite, ça dépend de toi aussi.

— Si seulement on était dans un film de super-héros. »

Elle a souri. On s'est dit au revoir et je suis rentré.

Peut-être aurais-je dû m'assommer à coups de verres de pisco *sour*. Dès le palier, j'entendis les mêmes cris de plaisir que la veille. Ce n'était pas un couple qui faisait l'amour, non, c'était un véritable voyage au bout de l'orgasme. Avec des pauses et des reprises d'activité, comme une exploration méthodique des possibilités de jouissance d'un corps humain. Quelque chose de vertigineux. Cette génération biberonnée au robinet virtuel de la pornographie avait-elle développé, dans la vie réelle, un savoir particulier ? En s'en servant comme d'un MOOC, une formation en ligne ouverte à tous ?

Je suis rentré, mais la cloison ne protégeait

de rien. Se formait dans ma tête une ribambelle d'images toutes plus déroutantes et plus physiques les unes que les autres, très douloureuses dans la solitude où je plongeais. Évidemment je dormis mal. Réveillé tôt par le soleil qui s'était invité dans ma chambre dont j'avais laissé la fenêtre ouverte, histoire de rendre la nuit moins torride, je décidai de lever une fois pour toutes le mystère sur cet amant si doué. Dès l'aube, j'étais aux aguets.

Un peu avant 9 heures, j'entendis la porte s'ouvrir et je fonçai sur le judas. J'aperçus la silhouette d'une jeune femme blonde qui n'était pas Nana et qui s'engouffrait dans l'escalier. Je me suis rué à la fenêtre pour l'observer. Blonde, comme elle, mais d'un blond plus foncé, aux reflets roux. Je crois qu'on dit « vénitien ». Elle portait une minijupe de daim et un blouson en wax ultrachatoyant. Je n'ai pas vu son visage.

Nana aimait les filles ?

Non, elle aimait tout le monde. Les jours suivants ce fut un véritable défilé ! Des garçons et des filles d'âges différents, mais toujours plus jeunes que moi. Je n'arrivais pas à me persuader qu'ils étaient peut-être, après tout, des copains d'archi qui venaient travailler avec elle. Non, je n'y arrivais pas.

Je m'étais mis à l'espionner. Regarder la vie des autres, était-ce revivre un peu ?

*

Nana a-t-elle un nom de famille ? Oui, Athanis. Prénom du père, Aristide. Sur la grande Toile planétaire, pas grand-chose le concernant, mais le peu qu'il y a est significatif. C'est l'une des plus grosses fortunes grecques. Connaît pas la crise. Il possède plusieurs compagnies de shipping, et donne aussi dans les énergies et la finance avec le fonds d'investissement Lake Stymphalia. Connaît pas la crise mais tente d'en minorer les effets : Aristide Athanis perpétue la tradition de l'évergétisme qui remonte à l'Antiquité, remise au goût du jour par les armateurs Aristote Onassis et Stávros Niárchos. Comme eux, Athanis est un bienfaiteur de son pays : à Athènes, il construit des écoles, équipe des hôpitaux, finance des Opéras, transforme des prisons en musées. Mais ne se fait pas prendre en photo. Aucune image de lui.

*

Je n'ai pas revu Nana. Mais j'ai revu la fille en wax. De face, cette fois, alors qu'elle sortait de la maison et que moi je rentrais. Elle portait un tee-shirt noir aux manches remontées sur les épaules, un pantalon tellement près du corps que c'était peut-être sa peau, des boots vintage, des bijoux plein les avant-bras, des cheveux blonds et longs rejetés sur son épaule droite et retenus par un bonnet. Elle a souri en me dévisageant mais sans me dire un mot.

*

Un soir, cassé par les longues journées qui avaient tourné, à l'Entreprise, autour des chances de survie de la princesse Europe et des nouvelles images en provenance de l'Orient déboussolé, je prenais un remontant à côté de la maison, organisant au téléphone le retour de mon fils à Paris, quand j'aperçus Nana, radieuse, visiblement épanouie par ses nuits sensuelles. « Comment être féminine en baskets ? » s'interrogeait la couverture d'un magazine sur la devanture du kiosque à journaux. D'abord conçu pour la pratique sportive, ce type de chaussures était en effet devenu, à l'époque où se déroule cette histoire, un puissant accessoire de mode urbain. Comme si à une géopolitique de l'instable répondait une esthétique du nomadisme. À la moindre alerte, il fallait pouvoir se carapater. Ses baskets, Nana les portait, ce jour-là, avec une robe chemise qui offrait à ses membres une amplitude de mouvement maximale. Elle me fit un signe de la main. Je ne pouvais la regarder sans imaginer des combinaisons sophistiquées de corps savamment intriqués, inondés de plaisir.

« Vous êtes en appétit ? » me demanda-t-elle tout de go.

Dit comme ça, c'était un peu direct.

Le dernier pays civilisé au monde

Elle voulait simplement dîner mais son français tanguait. On marchait dans la rue. On gravissait Montmartre. En haut le dôme brillait de tous ses feux. Nana se taisait. On avançait côte à côte, sous le ciel trop pollué pour laisser passer le spectacle des étoiles. En haut de la rue Lepic elle a poussé la porte d'un restaurant invisible. Quelques clients étaient attablés au comptoir. Un couteau tranchait dans le vif. L'odeur d'algue et de thé grillé parfumait l'endroit. Il restait deux places.

« Cela vous va ? »

Cela m'allait.

Les serviettes brûlantes arrivèrent. Elle lança quelques mots au chef.

« Parce qu'en plus vous parlez japonais ?

— En plus de quoi ? »

J'aurais voulu lui dire : « de ton goût de la vie », « de la gourmandise avec laquelle tu la savoures », « de la douceur dont tu fais preuve à mon égard, aussi »…

« On se tutoie ? » demanda-t-elle comme si elle avait lu dans mes pensées.

Elle me surprenait, m'amusait ou me touchait, c'était selon. Elle m'a demandé comment s'étaient passés les derniers jours et quand j'ai mentionné l'actrice, elle m'a interrompu :

« Celle qui a joué dans *Owlman* ?

— Oui, c'est elle. Enfin, elle n'a pas fait que ça.

— *French goddess...* »

C'est ainsi que la presse américaine l'appelait. Avais-je perçu du dédain dans sa voix ? Elle reprit :

« Il y avait cette scène où le pont des Arts, sous le poids des cadenas de l'amour, tombait sur une péniche de touristes...

— ... jusqu'à ce que l'homme-chouette le retienne, tel Atlas.

— Je me souviens. Un chef-d'œuvre. Mais c'est l'homme-*hibou*, non ?

— Je ne sais pas, *owl*, c'est le hibou ou la chouette ?

— Il avait des aigrettes sur son masque. Donc c'est un hibou.

— Il intervenait en plein jour, pourtant ?

— Tous les hiboux ne sont pas nocturnes. Le harfang des neiges, par exemple, est diurne.

— Dites donc, vous vous y connaissez, en oiseaux. »

Je repensais à Paestum, à la cage.

« On a dit qu'on se disait "tu". Le harfang des neiges, c'est l'oiseau d'Harry Potter. Je n'ai aucun mérite. Lecture générationnelle. »

Elle avait réponse à tout.

« Je n'ai vu que les films, ai-je dit.

— Avec ton fils ? »

J'ai hoché la tête.

« Il ne vit pas avec toi ?

— C'est l'été, je travaille. Il est mieux là où il est.

— Tu crois ? »

Elle a guetté ma réaction. J'ai hésité à me confier. Mais j'ai préféré reprendre notre petite controverse.

« Il me semble en tout cas qu'on parlait d'une chouette, dans *Harry Potter*.

— J. K. Rowling a tout pompé sur les mythes grecs, mais avec approximation. Elle dit "chouette" parce que ça fait penser à l'animal d'Athéna, mais son harfang est un hibou.

— Je m'incline. »

Elle a porté son thé à ses lèvres.

« Les super-héros aussi ont tout pompé sur la mythologie. Superman, c'est Achille, invulnérable sauf sur un point. La kryptonite, c'est son talon. Il est aussi Héraclès, un demi-dieu qui vit dans la douleur d'appartenir aux deux mondes, celui des hommes et celui des dieux, donc de n'appartenir à aucun. Et dire qu'on demande à mon pays de payer ses dettes…

— Ce qui est ennuyeux avec vous, c'est que vous savez vraiment tout, j'ai dit.

— Et ce qui est ennuyeux avec toi, c'est qu'on dirait vraiment que ça t'agace. »

Elle maniait ses baguettes à la perfection. Elle adorait le Japon. Elle y avait passé six mois en stage, dans l'agence de Shigeru Ban, la star de l'architecture de crise, un génie de l'habitation temporaire, des espaces nomades. Connu notamment pour sa cathédrale en carton. Un ami de son père.

« Décidément, il connaît tout le monde…

— Beaucoup de gens, oui… Tu n'es jamais allé au Japon ?

— Curieusement, non. J'y ai envoyé dix-huit personnes en reportage, mais je n'y suis moi-même jamais allé. »

Elle me parla d'une île qui s'appelait Naoshima. Entièrement dédiée à l'art, dans la mer intérieure de Seto. On s'y déplaçait sans bruit sur des vélos électriques. Les collines étaient parsemées de musées qui faisaient corps avec les arbres, la roche, les plages. « L'architecture est une application pratique de la poésie », lança-t-elle. L'hôtel construit sur l'île était un autre musée. On le visitait à la nuit tombée, au milieu des autres pensionnaires. On y dînait entre deux Warhol. On y petit-déjeunait à l'aube en regardant le soleil sortir de la mer et éclairer les photographies marines de Sugimoto accrochées à l'air libre. Dans une île voisine, il y avait une œuvre monumentale, qu'elle adorait, en forme de goutte d'eau. Elle conclut : « C'est le dernier pays civilisé au monde.

— Pourquoi tu dis ça ?

— L'attention au détail… L'absolue politesse,

qui n'est pas un détail. L'esthétique partout, jusqu'au morbide.

— Dans le sexe, notamment ? »

J'avais décidé de la tester.

« Sûrement », éluda-t-elle.

Elle n'allait quand même pas jouer les vierges effarouchées après ce que j'avais entendu plusieurs nuits de suite ?

« Ils ont ce truc, comment on appelle ça, ligoter les femmes nues. Le *kinbaku-bi*, ou quelque chose comme ça. Tu n'as jamais assisté à une séance ?

— Non. Tu aimes, toi ? »

Ses yeux s'étaient fichés dans les miens. J'avais l'impression d'avoir pénétré en terrain miné.

« Je n'ai jamais essayé…

— Ça te ferait plaisir ? »

Je l'ai regardée avec attention :

« Pardon ? »

Elle tenait une carte à la main. Une feuille de papier très épaisse, parcheminée.

« Ça te ferait plaisir, un saké ? On va prendre un nigori. Un saké non filtré. Il a une couleur blanchâtre, mais c'est très bon. *Nigori* ça veut dire "nuageux", en japonais. »

Sa maturité m'impressionnait. Les parents avaient fait du bon boulot. À quoi ressemblaient-ils ? Paz aurait apprécié Nana, je crois, même si leurs caractères étaient aux antipodes. Le calme de Nana, surtout, impressionnait, comme si toute sa vie elle avait été obéie sans contestation possible. Et en même temps, elle était aussi candeur. Celle qui permet de passer entre les gouttes, entre les pièges. Elle s'adressa au chef posté de l'autre côté du comptoir. Il était en train de passer au fil de l'épée une longue anguille frétillante. Deux minuscules verres de saké apparurent dans un présentoir de bois clair comme les tubes à essai de mes années collège. Elle me désigna un verre, prit l'autre, et le fit tinter contre le mien sans un mot. Elle ferma les yeux en buvant. Je regardais ses longs cils, son nez droit, ses oreilles sur lesquelles tombaient quelques mèches rebelles. J'aurais voulu plonger dans cette blondeur chaude. Poser, peut-être, mes lèvres sur les siennes, simplement pour me souvenir de ce que ça faisait. Était-ce ce qui était prévu ?

« Tu as l'air triste, me dit-elle.

— Tout va bien. »

Je m'étonnais moi-même. La souffrance s'apaisait. Je sentais la vie revenir en moi. De la bienveillance, aussi.

« On ne dirait pas. Je t'ennuie. »

Seulement quand tu cries la nuit et que je suis seul dans mon lit, ai-je eu envie de répondre.

J'ai voulu prendre sa main. Rien d'un geste de désir. Toucher sa peau. Sentir la chaleur de son sang sous la chair. Elle l'a retirée juste avant, et a glissé de son tabouret.

« Tu fais quoi, maintenant ? Je vais à une fête. Tu veux venir ? »

Avec elle, c'était oui.

Elle était déjà à la porte. À ma demande

d'addition, le chef opposa le plat de sa main. C'était fait. Cette fille avait trop de qualités. De réflexes. D'éducation. Il fallait que je m'accroche.

*

On est sous la nuit. La pollution s'est levée. Le scooter file. Elle pilote. J'ai proposé de prendre les rênes. « Tu ne connais pas l'adresse. » Les feux rouges et verts se font la guerre. Elle s'en joue. Paris est vide. Paris est vite. Mes mains se cramponnent aux poignées logées dans la selle, l'étroitesse des repose-pieds provoque de temps en temps un contact électrisant avec les mollets de la pilote. Cette fille me transporte, dans tous les sens du terme. Les gens nous toisent depuis les vitres de leurs voitures. Va-t-on si vite ? Est-elle si différente ? Elle m'inquiète. A trop réponse à tout. Le bitume est un ruban qui se dévide devant nos roues. Je ne sais plus où je suis mais je n'ai plus mauvaise conscience. Je sens le véhicule vibrer, nous accompagnons ses mouvements quand il se penche pour embrasser les virages. La lumière des réverbères s'étire en lignes horizontales. C'est fluide, rapide et beau.

Soudain elle ralentit, freine et pose ses baskets au sol. « C'est là. » Je descends. Elle ôte son casque. Les cheveux blonds giflent la nuit. « On va où ? — Chez des copains d'archi. »

L'ascenseur ferme ses portes sur nos corps. Plus

163

on monte, plus le son des basses augmente. Une vague électronique nous balaie le visage quand une brune à la bouche rouge nous ouvre et lui tombe dans les bras : « Nana ! »

Elle me glisse à l'oreille : « Amuse-toi. Oublie le reste. »

À l'intérieur une forêt de corps exulte. Mouvants comme des lianes, ils se confondent avec les vraies lianes qui, derrière eux, sur la terrasse surplombant Paris, courent sur les murs. Nous sommes sur le toit de la ville. Dans un coin, le grand ordonnateur des sons, le maître des boucles musicales est penché sur ses platines, les yeux fermés. Sur son tee-shirt, on lit *Fuck Starchitects*. Nana a disparu. Je la cherche du regard. La musique me parvient par nappes, parcourue de voix féminines. C'est fluide et chaud, hypnotique et happant. Les chevelures dessinent des cercles. Les peaux sont cuivrées, blanches, noires, c'est une mosaïque dont la transpiration agit comme une drogue piquante. Le beat s'accentue. Quelqu'un me tend un verre, une fille rousse. « Tu es un ami de Nana ? » me crie-t-elle. J'acquiesce. Elle éclate de rire, elle dit « c'est cool ! » et me prend par la main pour m'entraîner au cœur de la ronde électronique où les jeunes poitrines remuent en rythme saccadé. Je me laisse aller à danser. Cela fait si longtemps.

La musique me tient dans ses rets, je suis un roseau dansant, je ferme les yeux pour qu'elle entre encore plus, pour ne pas être méprisé par les autres corps qui me frôlent, me touchent.

Mais quand j'ouvre les yeux et que je vois les couples qui s'embrassent, le ridicule de ma situation me saute à la figure. Je pense à mon fils, je m'extirpe de la foule, je vais sur la terrasse, j'ai le gosier sec. Nana est là, avec deux garçons. Deux beaux garçons. Elle rit. Tourne le visage vers moi et continue à rire comme si elle ne m'avait même pas remarqué.

Je bois. Il nous reste ça, à nous les vieux. Boire, doucement s'assommer. Je regarde Nana, fêtée, ici, comme une reine. On la courtise, il y a de quoi. Elle se tient droite mais elle n'est pas coincée. Ce n'est pas seulement une allure, c'est un port de tête, un rythme dans les épaules, le bassin, les jambes qui se placent à la perfection, même quand elle s'adosse à la balustrade. Les garçons sont aimantés, les filles aussi. Ça y est, elle danse, quelques mouvements qui galvanisent sa cour. Les garçons font les malins. Les autres filles se soumettent. La musique emplit l'immense appartement, glisse jusqu'à la terrasse, tombe sur la ville, la recouvre. Paris reste une fête même si la mort rôde.

Ils sont jeunes, et moi j'ai mille ans. Je me tire.

Une fille me barre le passage. Elle porte une longue jupe et un débardeur à imprimé léopard. Elle a des yeux surlignés de khôl, une chevelure noire, dont les mèches s'entortillent en une tiare ornée de lierre. Elle me tend son verre, je décline, elle insiste. « Juste une gorgée. »

Elle me fixe. Comme si elle regardait *au-delà*. Elle a l'air défoncée. Je me demande si ses yeux ne viennent pas de changer de couleur. J'ai certainement, moi aussi, déjà trop bu.

« Alors c'est toi qu'elle a choisi ? dit-elle.

— Vous êtes qui ?

— Une copine.

— D'archi ?

— Non, moi je danse. Architecture du corps… »

Elle éclate de rire. Un rire de folle, qui monte dans les aigus.

« Je crois que je vais y aller, je dis.

— Ça m'étonnerait. »

Elle secoue la tête et se colle contre moi. Je sens ses seins contre mon torse.

« Tu vas aller sur son île, avec elle ? »

Je perçois un danger. Quelque chose d'anormal.

« De quoi vous me parlez ?

— Fais gaffe, juste. »

Elle me fixe.

« Fais gaffe à son père. »

Je m'arrête.

« Qu'est-ce que vous dites ?

— Viens. »

Elle m'entraîne dans un couloir. Ma tête tourne et j'offre peu de résistance. Je veux savoir. À nouveau, elle se colle à moi. Elle sent la menthe. Ses seins pointent *vraiment* sous son débardeur. Ils sont gros. J'ai soudain très chaud. J'ai basculé dans un autre monde. Le monde jeune, dont j'avais oublié le caractère spontané, l'immédiateté riche de possibilités.

« Sois un homme et baise », souffle-t-elle. Sa voix est devenue plus grave encore, plus rauque.

« Quoi ?

— C'est un homme qui pèse. »

J'avais mal compris... « Son père, ajoute-t-elle, dans mon oreille. Il est terrible. Fascinant, mais terrible. Est-ce ton monde ? » Je sens sa cuisse entre mes jambes, qui remonte, elle parle en grec je crois, et j'ai l'impression de comprendre :

Ὦ δρομάδες ἐμαὶ κύνες, θηρώμεθ᾽ ἀνδρῶν τῶνδ᾽ ὕπ᾽

« Ô mes chiennes coureuses, nous sommes poursuivies par ces hommes... »

Cela n'a aucun sens. Je colle ma bouche contre son oreille :

« Qu'est-ce que vous racontez ? »

On me tire alors par le bras. Nana, qui jette une courte phrase, en grec, à la fille. Elle disparaît avec une rapidité féline, emportant son rire de folle.

« Tu es dans un état... », dit Nana en passant sa main dans mes cheveux trempés. Si tu savais, petite, le champ de ruines que je suis. J'ai rarement vu autant d'empathie dans les yeux d'une femme.

« C'est qui cette fille ?

— T'occupe pas. »

La musique s'est calmée. L'air est immobile.

Elle prend ma tête entre ses mains mais n'approche pas ses lèvres des miennes. Moi non plus. Nous sommes comme deux silex. Il faudrait songer à faire du feu.

« Je te ramène », dit-elle.

Sois un homme et baise, la phrase que j'ai cru entendre me revient, lancinante.

Cheveux blonds sur l'oreiller

C'est un voyage dans le passé. Un voyage en deux-roues, vers mes vingt ans. Quand je découvrais une nouvelle chambre, un nouveau parfum, un nouveau corps, un nouveau spasme. Je vais percer le mystère de cet appartement. À quoi ressemblent les autres pièces, son lit ? Qu'y a-t-il sur sa table de chevet ? Quel livre, quel objet ? Paz, je pense à Paz. Je ne veux pas trahir Paz, je veux que tu comprennes, Paz, je recommence à vivre, il le faut, pour moi, pour notre fils. Je veux essayer, me laisser faire, c'est comme un médecin, cette fille, quelqu'un qui va tuer la maladie et me remettre sur pied. Une amie, si tu préfères. Une amie fille. S'il se passe quelque chose, eh bien il se passera quelque chose. C'est ça ou c'est moi qui meurs. Il vaut mieux la petite mort, celle qui rend plus vivant, tu ne crois pas ? L'alcool bourdonne à mes oreilles et les étoiles ne sont plus des points, mais des lignes, comme si j'étais passé à la vitesse subluminique, dirait mon fils en citant

Star Wars. Je me cramponne à la Vespa. Je veux faire taire le côté obscur.

On est chez moi. Sur mon lit. Pas le sien. Déjà, il m'a fallu tous les trésors d'imagination du monde pour la convaincre de rester. C'est ma sincérité qui a payé. Je ne calcule pas. Je ne manipule pas. Je ne peux pas rester seul, c'est tout. Je veux sentir son corps près du mien. Je veux dormir dans ses cheveux. Poser ma tête sur son ventre. Je ne veux pas qu'elle s'en aille de l'autre côté du mur, d'où viennent les soupirs, les gémissements, les cris, et moi rien. Si fièvre il y a, c'est ensemble. En serais-je capable ? Je ne sais plus comment faire pour ne plus être à distance, comment faire pour ne pas trouver les gestes ridicules. Je lui ai juste dit :

« Ne me fais pas le coup de Cendrillon, s'il te plaît.

— Cendrillon ?

— Cendrillon, Cinderella... Je ne sais pas comment vous l'appelez en Grèce. La fille qui part toujours précipitamment.

— Σταχτοπούτα.

— *Stachtopouta* ?

— Tu sais que c'est un conte grec, au départ ?

— Non. »

On dirait que les rôles s'inversent. Qu'à mon tour j'ai droit à une pédagogue. Je suis allongé, tout habillé. Je la regarde. Elle est toujours assise, une jambe croisée sur l'autre, pieds nus.

« Ma nounou me la racontait quand j'étais petite.

— J'ai bien besoin d'une nounou, raconte-moi…

— Pour t'aider à dormir ? »

Elle sourit.

« Elle s'appelait Rhodopis, "Yeux de rose". C'était une très jolie Grecque qui avait été vendue comme esclave en Égypte pour y devenir courtisane. Un jour qu'elle était au bain, un aigle lui vola une sandale. La tenant dans son bec jusqu'à Memphis où se trouvait la cour, il la laissa tomber dans les plis de la robe du pharaon qui rendait la justice. Ému par les proportions du soulier tombé du ciel, le souverain se jura de retrouver le pied auquel il appartenait.

— Toi aussi tu as de jolis pieds. Des pieds de statue. »

Je pose la main sur l'un d'eux. Fin, cambré.

« Il faut dormir », me dit-elle.

Elle éteint la lumière. J'entends le bruit des étoffes qui glissent sur le parquet. Je l'imagine. Je suis bien, enfin. Je m'endors, et quand je me réveille, j'entends sa respiration.

J'ai soif, je me lève sans faire de bruit. La pleine lune éclipse la pollution, me laisse apercevoir quelques étoiles par la fenêtre ouverte et, sur le lit, le corps de Nana. Elle repose sur le dos. Les draps font une mer calme autour d'elle. Elle n'est pas nue. Elle a gardé sa culotte, blanche, et une sorte de débardeur de la même couleur, à fines bretelles. D'où vient cette impression qu'elle ne dort pas et qu'elle me regarde la regarder, ce dont je ne me prive pas, s'en amusant, peut-être ? La jambe droite est tendue, l'autre repliée, la plante du pied gauche reposant sur l'intérieur du mollet droit, comme en pointe. Un gisant de danseuse.

Je fais le moins de bruit possible. Je prends une bouteille d'eau dans le frigo. La lumière blafarde illumine le sol noir, de tombeau, de la cuisine. Je retourne la regarder. Lents mouvements de sa cage thoracique. Je suis des yeux le dessin des hanches, la texture de sa peau qui sous la lune paraît d'ivoire, le nombril, à peine marqué. Je m'assois sur le bord du lit. Je bois lentement. L'eau me fait du bien, décrispe tout. La bouteille terminée, je m'étends près d'elle. Je respire ses cheveux. Elle ne bouge pas. Il lui faudra peut-être du temps. Je pense à son réveil. Je redoute ce moment. On va se dire quoi ? Tu as bien dormi ? C'était une belle nuit ? Pourquoi es-tu venue me rapter, devant la fille léopard qui me disait d'être un homme et de baiser, ou que ton père pesait, baisait, je ne sais même plus ce qu'elle a dit, ce que j'ai entendu. À qui réserves-tu tes soupirs, ta jouissance ?

J'ai fini par trouver le sommeil.

Mes craintes sur la gestion de ce moment chaste n'avaient pas lieu d'être car lorsque j'ai ouvert les yeux, elle n'était plus là. Sur le blanc de l'oreiller, un cheveu blond brillait dans le soleil.

Face à ce déluge de violence,
que peut-on dire à son enfant ?

Une tiédeur persiste. Elle a bien été là. L'eau coule sur mon corps qui n'a pas servi. Mais c'est déjà un début. Un corps de femme, la nuit, à mes côtés. Depuis la mort de Paz, je n'ai jamais pu dormir avec une autre.

J'appelle mon fils en Normandie. Je lui dis que je viendrai bientôt. Il me demande ce qui va se passer pour la Syrie.

« Ne regarde pas trop les informations.

— Elle va être coupée en plusieurs parties ?

— Oui.

— Mais comment on va faire les frontières ? Les fleuves et les montagnes, on ne peut pas les déplacer ?

— Ben non.

— Alors comment on va faire ?

— On va juste faire des barbelés. Ou des murs. »

Mon explication le convainc. Ce qu'il adore faire, en ce moment, ce sont des cartes. Et

173

pour lui, les frontières sont d'abord naturelles. Entre la France et l'Espagne, il y a les Pyrénées. Le Rhin sépare la France de l'Allemagne, la Manche la France de l'Angleterre. Pour l'État islamique, c'est vrai que c'est plus compliqué. Je lui demande quel est le programme aujourd'hui. Il me répond qu'il va voir le feu d'artifice.

« Et toi mon petit papa, tu vas aller le voir ?

— J'aimerais bien.

— Mais tu es tout seul, c'est ça ? »

Je ne réponds pas. Il continue :

« Si tu y vas, fais attention.

— À quoi veux-tu que je fasse attention ?

— Aux terroristes », dit-il, sans émotion. Le ton est même terriblement normal.

« Pourquoi tu parles de ça ?

— Parce qu'ils adorent quand les gens sont rassemblés. Ils tuent plus de gens. »

Ce garçon a tout compris.

« Je ferai attention. Mais tu sais, l'armée est là, elle les surveille.

— Ouais. »

Je ne sais pas quoi répondre. Il enchaîne :

« L'autre jour quand je t'ai demandé de quelle religion ils étaient, tu m'as dit "la bêtise". Mais j'ai entendu qu'ils étaient musulmans.

— Il y en a qui sont musulmans, et il y en a qui sont chrétiens, ou hindous, ou juifs…

— Et ceux qui sont musulmans, ils sont chiites ou sunnites ? »

Les enfants d'aujourd'hui ont un niveau

d'exigence géopolitique, historique et philoso-
phique sidérant.

« Ils sont chiites ou ils sont sunnites. Il y en a
dans toutes les religions. Mais dis-moi, tu connais
la différence entre sunnites et chiites ?

— Papy m'a expliqué.

— Ah bon ? Tu me le passes ? »

J'entends le bruit d'un combiné qu'on pose,
puis un cri strident : « Papyyyyyyyyyyy ! »

Je n'ai pas vraiment envie d'une discussion
sur le chiisme maintenant, mais il faut que je
dise à mon père de mettre la pédale douce sur
l'explication du monde à son petit-fils.

« Tu vas bien ? »

Mon père. Qui alors que j'avais cinq ans me
parlait de la tectonique des plaques et du pléis-
tocène.

« Tu lui as parlé du chiisme et du sunnisme ?

— En termes très simples, si ça peut te ras-
surer.

— Ben non, justement, parle-lui d'autre
chose. J'en ai assez qu'on farcisse la tête de nos
gosses avec la religion.

— C'est toi qui dis ça ? J'ai encore lu ton journal cette semaine et franchement, vous ne parlez
que de ça.

— On ne fait que rapporter les faits, les
décoder. Pas ma faute si on ne parle que de
religion en ce moment…

— Pas de religion : d'islam. Et pas ma faute
non plus. Ton fils me pose des questions, je
réponds.

175

— Et tu lui as dit comment, sur les chiites ?

— Ceux qui suivent Ali et voient en lui le successeur immédiat du prophète Mahomet.

— Pas mal. Et tu lui as raconté comment Ali a fini ?

— Oui, assassiné. Avec une épée empoisonnée. Il m'a demandé, tu penses... Mais je me suis arrêté là.

— Parce que tu serais allé jusqu'où, sinon ?

— César, je t'en prie.

— Parle-lui de la tectonique des plaques, plutôt. Sinon, ça va ?

— Oui, il fait de l'optimisme, ça a l'air de lui plaire ; de l'Optimist, pardon... »

On a ri.

« Je vais venir un week-end. Bientôt.

— Ça lui fera du bien. Tu lui manques. »

Et moi qui pendant ce temps batifole. Il me passe ma mère.

« Tu as quelqu'un ? me demande-t-elle juste après s'être enquise de ma santé.

— Pourquoi tu me demandes ça ?

— Ta voix. Elle est meilleure. On te voit quand ?

— Bientôt, je dis. Bientôt. »

J'avais à peine raccroché que j'entendis un violent bruit de moteur dans la rue. Marcello venait d'arriver sur une italienne aux chromes rutilants. Tout de cuir vêtu, malgré la chaleur. Gladiateur de *backroom*. Il est sorti de mon champ de vision et j'ai entendu son pas dans l'escalier. J'ai couru à ma porte. Par l'œilleton, j'ai vu qu'il avait les clefs. Il est entré chez Nana. J'ai cru entendre le bruit d'une engueulade.

Je sors. Elle est sur le palier, prête à sortir, elle aussi.

« Ça te dit d'aller voir le feu d'artifice ? » me demande-t-elle. Il y a de la tristesse dans ses yeux. « Est-ce que ça va, Nana ? » Elle hoche la tête. Elle semble avoir passé un moment pénible.

Je roule avec Nana. Nos jambes se frôlent. Le soleil s'est niché entre celles de la tour Eiffel et s'y tient heureux, rougeoyant de plaisir.

Ça se passe tout près de la Seine, dans un musée.

Le quartier est bouclé. Les rues barrées. Des policiers patrouillent avec leurs chiens, leurs armes. Les forces de l'ordre contre celles du désordre ? Nous sommes en guerre mais la Seine coule sans sourciller. Nous passons un porche où nos sacs sont scannés, pénétrons dans un dédale de béton tenant de la cathédrale et de la crypte. « Il est temps de faire vos jeux », indique une bâche tendue entre deux piliers monumentaux. Au centre de la nef, trois hommes hissent avec des chaînes un amas de poussière noire solidifiée. « Le poids de l'obscurité sur nos têtes », nous lance l'homme qui nous accueille, le regard malicieux, nous invitant à emprunter l'escalier qui conduit à la terrasse. C'est un centre d'art. La vue sur la ville est grandiose. Le projecteur qui coiffe la tour Eiffel donne à celle-ci l'air d'un phare rassurant. Nous en aurons besoin pour éviter les naufrages. Un musicien raconte sa récente expédition dans la grotte Chauvet, où il a enregistré le « silence absolu ». Il parle de la cavalcade des animaux peints sur les parois, aurochs et ours, d'un rhinocéros dont la corne fait un arc de guerrier et des empreintes de mains d'homme, rouges des pigments de la terre. « Il faudra peut-être un jour retourner dans les grottes, lance un autre artiste, quand il deviendra trop dangereux de créer parce qu'on reprochera aux artistes de vouloir rivaliser avec Dieu. » « Jamais je ne me cacherai », protesta une jeune vidéaste. « On dit ça… », reprit l'autre.

« Je te présente Pina, me dit Nana en s'approchant avec une grande femme aux cheveux courts. C'est l'épouse de mon oncle Nikos, que tu verras la semaine prochaine. » La femme me tend la main et me souhaite la bienvenue. « C'est Pina qui nous a proposé de venir ce soir. » Je remercie. Les invités se pressent autour d'elle. « Nana, il faut vraiment que tu viennes nous voir en Islande », dit-elle avant de nous laisser.

« Elle vit en Islande ?

— Six mois par an, avec mon oncle. Il dit qu'il y écrit bien. Je n'ai jamais compris comment elle fait pour supporter, elle qui aime tant la lumière.

— Elle l'aime, c'est tout.

— Ou elle souffre du syndrome de Stockholm. »

Ça m'a fait rire.

« Pourquoi tu dis ça ?

— Parce qu'elle raconte toujours que pour la séduire Nikos l'a kidnappée. »

Son oncle, qui visiblement gagnait lui aussi très bien sa vie, avait eu, quinze ans auparavant, une période fiévreuse d'achat d'art. Il collectionnait notamment le sculpteur américain hyperréaliste John De Andrea. « Tu vois qui c'est ? Celui qui fait des répliques de femmes réelles en bronze peint, nues, avec de vrais cheveux, et qui dit qu'il ne leur manque que la respiration ? »

Je vois, de loin. Je constate surtout avec ravissement que je ne connais pas le dixième de ce que connaît Nana.

« Pina était toute jeune. Elle travaillait dans une galerie d'art qui consacrait précisément une rétrospective à ce John De Andrea. Nikos a acheté l'expo entière. Et il a embarqué Pina avec toutes les statues, dans un grand camion, à la barbe de tout le monde.

— Il l'avait endormie puis déshabillée, alors ?

— Je ne sais pas dans quel ordre. C'est leur légende. Mais moi ça me plaît, parfois, de croire au merveilleux. »

Une explosion retentit. Tout le monde sursaute. La grande carcasse de métal tremble et, soudain, des éclairs de lumière fusent de ses entrailles, par jets horizontaux, crépitants et progressifs, de la base au sommet, comme si un serpent d'explosifs avait remplacé sa colonne vertébrale. Bientôt, c'est une lave pyrotechnique, lourde de matière brûlante et scintillante, qui en gicle.

« C'est séminal », dit un homme.

« C'est guerrier », dit une femme.

Le ciel bleu sombre s'est changé en zone de tirs. Avant, quand la guerre était lointaine et qu'on tombait, à la télé, sur les images d'une nuit rayée par les balles traçantes, la première comparaison qui venait à l'esprit était celle du feu d'artifice. Maintenant qu'on voyait quotidiennement la guerre sur nos écrans, c'est à elle qu'on pensait quand on regardait un feu d'artifice.

Mais on dirait que ce soir la tour veut remettre les choses dans l'ordre. Concurrencer la guerre, la battre à plate couture. Elle donne tout ce qu'elle a, envoie tout ce qu'elle peut vers les étoiles, des rosaces, des geysers, des coups de langue de feu ; elle s'exprime, jubile comme si elle s'était trop longtemps retenue de dire ce qu'elle pensait, retenue de vivre, retenue de jouir, à cause de tous ces morts tombés sur le pavé, par deux fois déjà. Quand on pleure, on n'a pas le cœur à la bagatelle.

Et là elle se rattrape en quelques minutes de folie, éclairant le monde de sa splendeur déchaînée. La lentille de mon ordiphone braqué sur elle peine à suivre ses exploits lumineux. J'envoie un petit film à mon fils, avec une bonne dizaine d'emojis en prime. Il va comprendre que j'ai trouvé quelqu'un pour aller voir le feu d'artifice. Et après tout, ne trouverait-il pas ça bien, que son père sourie à nouveau ?

Seule Nana, appuyée contre la rambarde, ne filme pas. Elle est concentrée sur le spectacle. Ou triste.

On se passe une bouteille de champagne, les bulles jaillissent du fond des verres. On a l'impression aujourd'hui que le 14 Juillet, ça compte, qu'il y a des Bastille à libérer, qu'on ne se laissera pas enfermer. La tour se dresse encore de toute sa raideur d'acier, vigilante, dans le feu et la fumée. C'est le bouquet : un délire en couleur, du pétaradant qui réchauffe l'âme.

Tout s'est bien passé. La foule applaudit. L'artifice a gagné sur le réel pesant. On respire. On boit. On parle de la vie, des voyages qu'on aimerait faire.

Soudain mon ordiphone vibre.

J'ai dû blêmir : on se masse autour de moi, on lit par-dessus mon épaule.

Ça recommence : un attentat.

Mon pilote blond slalome entre les taxis. La circulation s'enfièvre. Les gens quittent les terrasses. J'appelle l'Entreprise. Rendez-vous à l'aube. Sur le palier, cette fois, je n'ai pas à supplier. Nana entre avec moi. Elle pose son casque à côté de ma nageuse.

Presque en Nana

Je ne veux plus regarder l'ordiphone qui s'excite. Elle est allongée à mes côtés. On ne se touche pas. Le moment m'intimide. Mon cœur bat à nouveau. Je bande enfin pour une vivante. J'ai l'impression que Paz me scrute depuis les profondeurs mais je pense pouvoir m'affranchir, pour la première fois, enfin, de la culpabilité. Je ne le vis pas comme un scandale. Le scandale, c'est ce qui se passe à l'extérieur de cette chambre. Dans ce monde en feu. Je crains pourtant d'avoir oublié les gestes qui sauvent. Ceux qui font flamber la vie dans les corps. Ses soupirs de plaisir de l'autre côté de la cloison, l'expression de cette joie physique, me reviennent en tête, leur ampleur, la liberté, l'énergie, le savoir-faire que cela implique. Désolé, Nana, j'ai bien peur de ne pas avoir le mode d'emploi de tes rouages savants.

J'ose. Ma main se pose sur sa peau.

Avec douceur, elle éloigne ma main.

J'ai honte.

Je n'insiste pas. Mais je croyais que ce soir on avait tous les deux besoin de se sentir davantage en vie. En tout cas, moi, je voulais bien essayer.

Je l'entends respirer, son corps est bien là. Son parfum règne : des agrumes, du métal comme parfois le sang en a le goût. Je ne sais plus quoi penser. Je ne sais pas qui elle est ; je ne sais plus qui je suis. Ce qu'elle me veut, quasi nue, sur le ventre, les dunes de ses fesses livrées à mes regards, tout juste couvertes, son visage perdu dans sa chevelure qui me rappelle celle, d'un blond chaud, d'une actrice italienne froide et nocturne. Elle n'est pas italienne mais grecque, pays chrétien orthodoxe à près de quatre-vingt-dix pour cent. Et s'il y avait des usages à respecter ? Je repense à la jeune femme qui sort régulièrement de chez elle : n'aimerait-elle que ses semblables ? Et Marcello, alors ? Elle avait l'air si triste, l'autre jour. Et le défilé de garçons ? Peut-être que je ne l'attire pas. Qu'elle m'aime bien, c'est tout. Et peut-être que ça suffit.

Mon ordiphone n'arrête pas de vibrer. Les nouvelles sont graves. Allongé, l'écran à bout de bras, je réponds par SMS.

Une paume se pose sur mon visage. Elle me regarde, « Laisse ça ». J'éteins la petite machine à diffuser la mort. Je me replie dans mes labyrinthes mentaux.

« Tu ne dors pas ? »
Sa voix déchire le silence.

« Tu serais le même, sans ton goût pour l'Antiquité ?

— Ce goût de patine ? »

Elle rit doucement. Plus les années passent, plus j'ai l'impression d'être le dernier de mon espèce. À me brancher à la source antique, à avoir en tête les histoires de Thésée et d'Achille, à en tirer un usage pour aujourd'hui. Les histoires de *kaïros*, la culture du monde ancien. L'humanisme. Les mythes. Je l'avais ressenti profondément, dernièrement, à la mort d'Umberto Eco. Qui allait désormais nous parler avec une telle gourmandise du plaisir que peut donner une traduction, le décodage d'un récit surgi des temps anciens et qui nous parlait quand même ? De la poésie de Pindare, ce soleil en mots, qui donnait tant de force ? De l'énergie et des couleurs que cela avait communiqué à nos veines d'enfants qui deviendraient des hommes ? Qui apprendrait désormais que « l'homme est un animal doué de logos », et que ce logos, c'est-à-dire sa façon non seulement d'articuler, mais de s'articuler face au monde, était ce qui le séparait de l'animal ? Qui aurait la chance de se voir enseigner que le plus important est de sculpter sa capacité à s'étonner — *thaumazeïn* —, commencement de la sagesse, de se forger un esprit critique mais aussi un imaginaire en franchissant, comme je l'avais fait, sur la croupe de Pégase, à la barre de la nef *Argo*, ou en tétant les mamelles de la Louve, les grandes portes des mythes ? Ça aidait quand même à vivre, tout ça, non ? À s'ouvrir à l'autre. Comme Ulysse après son naufrage, face à Nausicaa — mon passage préféré —, et qui lui dit : « Je te supplie, ô reine, es-tu déesse ou mortelle ? » Voir un dieu en l'autre, et pas seulement un étranger. J'avais raconté ça à Paz, il y a des années, alors qu'à Praiano on parcourait une petite rue à la recherche des carreaux de céramique qu'un artiste amalfitain avait incrustés dans le mur, et qui représentaient, naïfs, colorés, des tableaux de l'*Odyssée*. Nausicaa « aux bras blancs », λευκώλενος. Une fille de roi, sur la plage avec ses servantes, en train de jouer à la balle, qui voit surgir des bosquets un homme nu, « le corps tout gâté par la mer », et qui n'en a pas peur. Et qui va lui venir en aide, et, peut-être un peu, l'aimer. Tout cela restait, faisait voir le monde différemment, ensoleillait l'existence, la rendait plus affûtée, riche de doubles sens, donnait des possibilités d'action dans un monde qui se déchirait. Je me suis confié. Elle s'est retournée, lisse comme un galet.

« Tu peux transmettre, a-t-elle dit.

— Ça n'intéresse plus personne.

— Ton fils ?

— Mon fils… Peut-être.

— Alors tu n'es pas le dernier. Il vivra pour toi. Il continuera, à sa façon, mais il continuera. »

Elle a dit cela d'une voix douce. Comme si elle savait tout. Est-ce que je les présenterai, un jour ?

Elle veut savoir d'où ça vient, ce goût. Elle veut que je raconte. Comment, sur la côte normande, une prof m'a un jour pris par la main et dirigé vers cette langue dont l'alphabet m'ensorcelle. J'ai treize ans. On est six ou sept filles et garçons, pas plus. Le cours prend très vite des allures de rassemblement secret car il a lieu le samedi, en toute fin de matinée, quand le collège est presque vide. Elle nous emmène dans le saint des saints, la salle des professeurs, où elle nous offre un chocolat chaud à la machine. Il a pour nous le goût de l'élection. Ensuite on retrouve la classe et le manuel scolaire dont je n'ai jamais oublié la couverture : la mer Égée s'offre en grand, c'est l'aube ou le crépuscule, elle ressemble, sous le soleil, à un plat d'argent poli. À droite, il y a une falaise, un cap, où se dressent quelques colonnes. Dans la mer nagent des lettres grecques, subtilement imprimées, presque invisibles tant elles se confondent avec l'écume. Ces lettres, ce sont celles du mot θάλασσα : la mer. Prendre ce livre, le regarder, c'était déjà plonger dans un monde liquide et chaud, salé et bon, un monde où les caresses se promettent tendres mais toniques, nourrissantes. Et cet alphabet si différent du nôtre était pour moi, alors, le véhicule quasi magique qui permettait de gagner des sphères de félicité limpide, cet imaginaire méditerranéen gorgé de sensualité…

« Dis donc…

— J'avais treize ans…

— Je suppose que la prof y était pour beaucoup.

— Il m'arrivait de l'imaginer en prêtresse d'un

rite ancien, habillée à la mode minoenne, tu sais, comme cette petite statuette de Cnossos, en Crète. J'étais fou de Cnossos, à l'époque. Je portais autour du cou une petite médaille en argent qui reproduisait le disque de Phaistos. Tu vois ce que c'est, avec ses hiéroglyphes qui s'enroulent en spirale ?

— Je vois, oui, l'une des grandes énigmes de la Grèce antique. Je vois aussi la robe dont tu parles, celle de la statuette : une robe qui laisse les seins à l'air…

— Comme les tiens… »

Elle rit.

« Et elle ressemblait à quoi, en réalité ? Car cette statue bougeait ?

— Elle était grande, brune, des cheveux ondulés, le teint mat, les yeux en amande. Avec une bouche sensuelle, et c'est cette bouche qui nous lisait des textes comme : "πάρα γὰρ θεοί εἰσι καὶ ἡμῖν. Ἀλλ᾽ ἄγε δὴ φιλότητι τραπείομεν εὐνηθέντε…" Tu connais ?

— Ton accent est épouvantable.

— Tu comprends ?

— "Il y a des dieux pour nous aussi. Sur ce lit, livrons-nous aux joies de l'amour…"

— Pas mal, non ? »

Elle balaya l'allusion.

« Pour toi, la Grèce est liée aux sens. La philosophie, la démocratie, l'équilibre, les mathématiques, ça ne te parle pas ? »

Elle est gonflée de me dire ça, quasi nue.

« Si, mais moins que ces histoires de dieux qui se changent en taureau, en cygne, en aigle,

187

et même en pluie d'or pour aller féconder les mortelles. C'est quand même une sacrée école de la chair, et de la liberté. J'avais treize ans, ça m'a formé. Ça m'a ouvert un monde.

— Tu oublies la violence de ces mythes, ces histoires de malédiction, de cannibalisme, de filles broyées par leur père… »

Ses derniers mots m'ont frappé. J'ai repensé à ce que m'avait dit la fille en léopard. Une image atroce m'est venue en tête. Et si c'était ça l'explication de ce non-désir ? Son père « terrible »… « Je ne quitte jamais sa tête », m'avait dit Nana. Un blocage ? Un souvenir monstrueux, traumatique ? Une frigidité inavouable ? Mais cette pornographie sonore perçue à travers les murs de mon salon ? Ces chants de la jouissance ? Je ne pouvais, hélas, pas lui en parler. J'aurais eu l'air de l'espionner, elle l'aurait mal pris. Allait-elle dans les excès pour oublier un choc moral, une blessure intime ? Arrête de fantasmer. Elle ne te désire pas et c'est peut-être mieux comme ça. Elle t'aime bien. Elle prend soin de toi. Serre cette chance. Regarde, ou plutôt ressens : ta petite chaste se blottit comme une chatte. Son casque de cheveux, c'est du citron et du métal tiède. D'accord, son for intérieur doit être pas mal aussi. Mais tais-toi, jouis de la vie car tout autour la mort règne. Et si tu regardes bien tout au fond de toi, tu pourras voir Paz te cligner de l'œil. Tu protèges son fils, ne l'oublie pas.

Le chaos

Quand je quitte la maison elle dort encore. À l'Entreprise, dans nos alvéoles de verre, il faut trouver les mots à mettre sur la bêtise tueuse, les images absurdes. « Tragédie » : le mot est sur toutes les lèvres. Mais la tragédie suppose un ordre, et on le cherche en vain. N'est-ce pas plutôt le diable qui sort de sa boîte ? Allumée dans mon bureau, la télé surchauffe. Le ton se durcit chez nos politiques. Camus est cité, mais le Camus martial, celui qui disait « Je ne renonce pas à l'humanisme, mais il faut d'abord sauver les corps ».

Je contemple ma faillite : comment ai-je pu dire à Paz qu'elle serait en sécurité en Europe, où désormais un employé est capable de décapiter son patron et d'accrocher sa tête à un grillage ? Où un camion frigorifique fonce sur des enfants qui mangent des glaces en regardant le ciel s'embraser de mille fleurs de lumière ?

Comment ai-je pu m'aveugler à ce point ? Et refuser à la femme que j'aimais de partir avec elle ?

Elle est morte parce que je me suis entêté.

Elle est morte parce que je suis un naïf.

Elle est morte parce que j'avais foi en une illusion.

Je rentre tard. J'ai envie de boire et d'oublier un peu. De faire couler le vin sur le sang.

Dans le wagon qui parcourt les souterrains de la ville, et que parcourent des soldats, je voudrais que m'éclaire un visage et pas seulement l'écran de mon ordiphone.

À la maison, c'est le silence. J'appelle mes parents. « Épargnez-lui les images, s'il vous plaît. — Cela va sans dire », me répond mon père très tranquillement.

Moi, je suis fébrile. Ma télé bourdonne, les experts stridulent. On annonce un bouleversement du côté d'Istanbul. Pourquoi ai-je l'impression, depuis le début, de savoir déjà ce qui va se passer ? D'avoir déjà vu ces images, d'avoir déjà traversé ces événements ? Je vois des gens escalader des chars d'assaut et en frapper à mort les occupants, des corps nus aux mains liées, allongés par centaines dans des hangars. J'entends un chef galvanisé décréter que les ennemis de l'État seront privés de funérailles, donnant à sa sanction l'allure d'un châtiment divin. Je vois des écrivains, des professeurs arrêtés. La haine de l'intellectuel s'épanouir. Je frémis. J'ai peur pour mon fils.

Est-ce que je dors ? Ou est-ce que je me suis réveillé dans un monde que je ne reconnais plus ?

*

J'ai besoin de la voir. De parler avec elle. On oublie toujours de coucher ensemble — c'est comme ça que je préfère le formuler — mais on a des discussions passionnantes. Surtout la nuit, chez moi. Je l'attends comme une visiteuse de prison. Elle apparaît à n'importe quelle heure. Parfois, elle sort des trucs totalement dingues pour une fille pas forcément portée sur les sciences politiques, ou les études religieuses. Sur la situation turque, qui la met en rage, elle rappelle que les Ottomans ont été suffisamment barbares pour stocker, au XVe siècle, leurs réserves de poudre dans le Parthénon.

« Ces processions fanatisées dans les rues de Constantinople, ça me fait flipper.

— *Istanbul*, Nana. On dit *Istanbul.* »

Elle dit que l'Europe est molle, que c'est folie de croire en un dieu unique parce que le dieu de l'un est toujours le diable de l'autre. « Le polythéisme n'a jamais tué au nom de la religion », ajoute-t-elle. L'autre jour, elle m'a cité une phrase d'un sénateur romain du IIIe siècle dont je n'avais jamais entendu parler. Quintus Aurelius Symmaque. Elle m'a expliqué qu'il s'était engagé pour rétablir la vieille religion païenne contre le christianisme des empereurs. Et puis elle l'a cité. Je veux dire, elle l'a cité vraiment, aux trois quarts nue dans mon lit, à haute voix :

« *Nous contemplons tous les mêmes astres, le ciel nous est commun, le même univers nous entoure. Qu'importe par quel chemin chacun recherche, en fonction de son propre jugement, la vérité ? Il n'y a pas qu'une seule voie qui permette d'atteindre un si grand mystère.* »

Je note qu'elle ne m'a jamais rendu mon *Daphnis et Chloé*. Et je mets ma main au feu qu'elle ne l'a même pas ouvert. Parce qu'elle connaît déjà tout cela, et bien mieux que moi.

La fête chez elle confirma mes intuitions.

Eau chaude, marbre vert

L'invitation avait été glissée sous ma porte. Elle était formulée comme un faire-part de décès. Quelques lignes en blanc sur un fond noir, encadrées d'une grecque, cette frise qui a la particularité d'avancer en faisant des retours en arrière. Tout un symbole.

NIKOS STYGEROS

A L'IMMENSE PLAISIR

D'ENTERRER

LE MONOTHÉISME

—

VIN — LITTÉRATURE — PÉPINS
DE GRENADE

*

Dans la rue, ce fut bientôt un ballet de voitures d'où surgirent des silhouettes noires.

Leurs bijoux paraient la nuit d'éclats coupants.

J'étais très nerveux en sonnant. Il y avait déjà beaucoup de bruit derrière la porte. Elle s'est ouverte sur une femme devant laquelle j'ai manqué défaillir. Elle avait cinquante ou soixante ans, des cheveux gris, des yeux sombres. La femme qui accompagnait celle que, à Paestum, j'avais prise pour Nana...

... qui apparut aussitôt, vêtue d'une petite robe noire. La femme aux cheveux gris s'éclipsa.

Nana m'entraîne dans l'appartement que je découvre sous la lumière de dizaines de bougies noires. Les meubles ont été bougés, mais les œuvres d'art sont toujours au mur. La pièce de Fornasetti aussi, au fond, près de la double porte toujours fermée. Sur les fauteuils, quelques invités bavardent. Les plus jeunes sont assis par terre, en tailleur. De la robe de cocktail couture au streetwear le plus radical, ils sont tous en noir. Quand j'arrive, ils me regardent avec curiosité : je suis le seul à être chaussé.

« La famille, et quelques amis », me dit Nana, avant de s'excuser et de disparaître dans l'agitation qui croît. Une femme blonde s'approche. Sa robe laisse ses bras nus mais monte jusqu'à son cou orné d'une sorte de torque. Ses lèvres trop fines semblent prêtes à tuer d'un mot.

« Vous devez être le petit voisin », me dit-elle en me fixant sans aménité.

Je n'aime pas du tout l'expression mais j'acquiesce. Je tends la main :

« César.

— C'est ambitieux », commente-t-elle en me donnant la sienne, mais sans se présenter. Elle glisse vers de nouveaux arrivants. Une femme en blouse noire surgit, portant un plateau en laque noire chargé de verres noirs remplis d'un liquide tout aussi noir.

« C'est du vin de Thessalie », me dit un jeune homme aux yeux presque asiatiques, avec une fine barbe, des dreadlocks, un débardeur et un sarong autour des hanches. « Je suis le demi-frère de Nana. » Il trinque avec moi puis me laisse, happé par une jeune femme en bodycon.

Il y a maintenant une trentaine de personnes dans l'appartement. L'oncle poète n'a toujours pas fait son apparition. Je descends mon verre puis je cherche Nana. Ça parle grec, fort. Un air de piano monte dans la pièce. Au clavier, un jeune homme en smoking, pieds nus lui aussi. J'enlève mes mocassins et les cache sous une commode. Je prends un autre verre, j'inspecte les murs, admire un profil de jeune homme signé Dante Gabriel Rossetti puis la photo d'une femme nue prise à travers les cordes d'une harpe. Je quitte le salon, me retrouve dans un long couloir. Au fond, une lumière verte. J'avance. Elle provient d'une immense salle de bains aux lignes épurées, toute de marbre vert veiné de gris. Au centre, une grande baignoire rectangulaire, en marbre elle aussi, remplie d'eau mousseuse et parfumée.

Je suis en train de me passer un peu d'eau sur le visage, contemplant la multitude de pots à onguent et de flacons disposés en vrac autour de la vasque, quand à ma droite l'eau commence à bouger. Une main de femme émerge de la mousse et prend appui sur le rebord de la baignoire. C'est une tête, maintenant, qui apparaît. Deux yeux clairs, un nez fin, une bouche qui s'entrouvre et expire profondément comme après une longue apnée. Émergent ensuite deux épaules rondes, que caressent de longs cheveux mouillés.

« Excusez-moi. »

En reculant, je me heurte à un obstacle. Du cuir et du métal. Marcello.

« Tiens, le petit voisin ! Je dérange, on dirait ?

— Pas du tout, je n'avais pas vu et… »

Il m'interrompt :

« Mais il faut voir, bien au contraire ! Montre-toi, Dita ! »

Je me tourne vers elle. La situation semble beaucoup l'amuser. Elle se dresse dans toute sa nudité, sans aucune gêne, et même avec un plaisir évident.

« *È bella, no ?* » lance Marcello.

La jeune femme le toise :

« Arrête avec l'italien, c'est ridicule. Donne-moi plutôt la serviette.

— Je vais vous laisser, je dis.

— J'en ai pour une minute. »

Son ton n'offre aucune place à la contestation.

Et Marcello bloque toujours la sortie, un sourire stupide aux lèvres, biceps croisés. Elle sort de la baignoire, la peau constellée de mousse, essore sa chevelure avec la serviette, passe le tissu nid-d'abeilles sur son corps au reflet mat et la laisse tomber à ses pieds. Puis, me tournant le dos, elle se contemple dans un miroir et offre à mes regards les hémisphères charnus de ses fesses, son dos souple. Réfléchis par la surface polie, ses yeux se plantent dans les miens.

« Je m'en vais, dit Marcello. Je vais écouter Zio. » Elle lui lance une courte phrase en grec. Il rit et s'éclipse. « *Zio*, maintenant…, soupire-t-elle. Son refus de parler grec… Franchement, il faudrait qu'il assume ses goûts, un jour…

— J'aime autant vous laisser vous préparer tranquillement.

— Mais je suis très tranquille. Pas vous ? »

Elle se retourne et j'affronte, de face, ce chef-d'œuvre de nerfs et de chair. « Je suis beaucoup mieux qu'elle, non ? »

Le turquoise de ses yeux tire sur le mauve. Je reconnais, alors, la fille que j'avais vue sortir de l'appartement à plusieurs reprises.

« Mais je suis bête, vous ne l'avez pas vue. Je veux dire, *vraiment* vue. Pardon, mais vous savez quand même qu'avec ma petite sœur, ça ne pourra pas aller beaucoup plus loin ? »

Elle rit. Elle a le même visage ovale, le même menton têtu. Mais le nez moins droit, plus mutin. Sa sœur ?

Elle s'empare d'un pot à onguent, ôte le

couvercle de porcelaine, le hume. Puis de son index prélève une noix de crème qu'elle dépose au-dessus de son nombril, et étale, remontant paresseusement sur la pulpe de ses seins, redescendant jusqu'à son ventre, ses cuisses, son sexe lisse.

Je suis fasciné.

Elle tend sa jambe gauche, la pose sur le rebord de la baignoire, et continue à s'hydrater. Elle se masse les chevilles, puis les pieds, dont les ongles sont peints en noir et rehaussés de dessins d'un rouge orangé.

« Approchez-vous, de là vous ne pouvez pas voir.

— Si, je vous assure.

— Ne faites pas l'enfant. Il n'y a que nous ici. Penchez-vous. »

C'est tellement insolite que je m'exécute. Ma tête est maintenant à quelques centimètres de sa fente. Une note résineuse m'étourdit. Je dois me reprendre. Je me concentre sur ses ongles. Il faut avouer que c'est très bien fait.

« Vous aimez ?

— C'est minutieux. »

Ils sont ornés de tout petits dessins rouges sur fond noir, comme ceux qu'on voit sur les vases antiques. Mais au lieu de Victoires ailées, de dieux pamprés et d'athlètes couronnés, ils représentent des scènes érotiques. « Elles proviennent de vrais vases, précise-t-elle, très sérieuse.

— Je n'en doute pas. »

Elle désigne son second orteil. Il est plus long que le gros.

« Celle-ci, c'est sur un canthare qui se trouve au Pergamonmuseum, à Berlin. »

Érudite, en plus.

« N'allez pas y voir une obsession. Pour moi, contrairement à d'autres, le sexe est naturel. »

Son regard est insistant. Il est plus que temps de prendre congé :

« J'ai été ravi.

— Ravi ? Non, pas encore. »

L'enterrement du monothéisme

L'air frais du couloir me réveille. Je respire. Quel phénomène ! Sa sœur ?

Je regagne le salon.

« Elle ne t'a pas trop ennuyé ? »

C'est Nana. Elle me fixe avec dureté.

« Qui ?

— Dita… Marcello m'a dit que vous étiez ensemble.

— Oui, avec Marcello, d'ailleurs.

— À trois ?

— Oui. Enfin, c'était… quelques minutes.

— Je te préviens : elle est totalement nymphomane », dit-elle en me plantant là.

« On dirait que tu l'as vexée, ricane Marcello, qui s'est approché.

— À cause de toi.

— Tu sais… » Il marque un temps d'arrêt. « Tu n'es rien pour nous. »

Il fait une grimace bizarre, qui crispe les muscles de ses mâchoires, et disparaît.

La femme aux cheveux gris refait son apparition. Sur un signe d'elle, on passe des coupelles dorées. On m'en tend une, pleine de pépins de grenade. Je picore. Soudain, le silence. Les gens s'écartent, forment une haie pour celui que tout le monde attend. Le fameux. Le scandaleux. L'écrivain.

De haute taille, il porte, sans chemise, un costume noir à veste croisée. Une toque de fourrure, une sorte de chapka tribale, lui donne l'air d'une vieille rockstar ou d'un sorcier amazonien. Un livre relié à la main, il s'avance avec une lenteur étudiée jusqu'au trône design installé devant l'assistance. Il prend place sur le fauteuil d'acier trempé comme s'il prenait les commandes d'un avion de chasse rétrofuturiste. Il ouvre le livre, croise les jambes, passe une main rapide sur son front pour glisser derrière son oreille une mèche de cheveux échappée de sa coiffe, et commence à lire, d'une belle voix grave.

L'assemblée est captivée. Il parle en grec, je ne comprends rien mais c'est beau. L'air nocturne procure un apaisement proche de la torpeur. Je bois à petites gorgées un nouveau verre, les pépins de grenade fondent dans ma bouche comme des œufs de poisson sucrés. Je suis bien. Et je suis encore mieux quand Nana vient s'asseoir près de moi.

Des rires éclatent.

Elle m'explique. « Ça se présente comme le

récit de voyage d'un dieu antique qui se retrouve dans le monde d'aujourd'hui et découvre les monothéismes. Évidemment, pour lui c'est très étrange. Il raconte à la première personne, s'étonne…

— Un peu sur le principe des *Lettres persanes* ?

— Exactement. Mon oncle adore Montesquieu et votre siècle des Lumières. Quand vous faisiez rêver le monde et que votre pays était le laboratoire du progrès. Il faudrait que vous vous en souveniez. Il vient de lire quelques pages où le dieu va sur le mont Athos. Le livre a été un succès énorme en Grèce, mais il a aussi valu à mon oncle de sérieux ennuis.

— À ce point-là ?

— Le regard naïf du personnage permet de donner un tableau assez acide des contradictions du monde contemporain. D'autant que ce dieu a l'apparence d'un satyre, très gentil, mais qui entend obéir, sans malice, à tous ses appétits. »

Une jeune femme vient remplir mon verre. Nana refuse et continue à chuchoter à mon oreille.

« Nikos décrit le monde actuel mais en utilisant la littérature antique. On peut le lire au premier degré, mais c'est aussi truffé de parodies d'Aristophane, d'Ésope. »

Elle en parle comme si tout le monde savait ça. Pourquoi avait-elle joué les élèves avec moi ?

L'oncle s'arrête. Puis il tire de sa poche intérieure quelques feuillets pliés en quatre.

« Maintenant, ça va être le nouveau livre. Il

n'est pas encore sorti. Nous avons droit, ce soir, à une avant-première. »

Il réajuste sa toque et reprend sa lecture.

Subitement, la femme qui m'a appelé « le petit voisin » glousse, imitée par deux jeunes hommes assis à ses pieds.

« Qu'est-ce qu'il y a de si drôle ?

— Le petit dieu arrive en Arabie saoudite. Pour lui, l'Arabie, c'est l'"Arabie heureuse", alors il s'étonne qu'on ne trouve pas de vin. Et comme il a très soif, il questionne un docteur de la foi. Qui n'arrive pas à lui dire concrètement pourquoi c'est interdit. Il insiste, et l'autre finit par répondre "parce que ça donne de mauvaises idées". Le dieu continue : "Lesquelles ?" Et le type commence à énumérer tous ses fantasmes sexuels. Nikos appelle ce chapitre le "catalogue des fantasmes", variation sur le "catalogue des vaisseaux" de l'*Iliade*.

— C'est de haute volée.

— Nikos est de très haute volée. C'est ce qui le rend irrésistible. »

Il y eut, cette fois-ci, un éclat de rire général.

« Tu te souviens de Danaé, la princesse que son père avait enfermée dans une tour parce qu'un oracle lui avait prédit qu'il serait tué par son petit-fils ?

— Oui, et que Zeus, qui la désire, féconde sous forme de pluie d'or.

— C'est ça. Eh bien là, le dieu arrive dans un village. Les gens se pressent pour l'écouter, mais évidemment, il n'y a pas une femme dans la rue.

Le visiteur commence à raconter l'histoire de Danaé et soudain tous les villageois blêmissent et foncent chez eux vérifier que la pluie d'or n'est pas tombée sur leurs épouses. »

Il y eut d'autres rires, et un long moment où chacun retint sa respiration avant d'applaudir avec enthousiasme. « Il vient de lire la fin, dit Nana.

— Et alors ?

— Alors il est décapité mais ne meurt pas puisqu'il est immortel. Pour rire, il se proclame le seul vrai dieu. Et ordonne que le vin coule à flots ! »

Nikos Stygeros se leva et s'inclina, une main sur la toque, une main sur le cœur. Sa femme, Pina, que j'avais aperçue au feu d'artifice, se pressa contre lui avant de l'embrasser sur la bouche. « Viens », me dit Nana.

Elle me présenta au romancier. Au fond des yeux cernés, le regard était vif.

« Beaucoup ont pris une fatwa pour moins que ça, ai-je risqué.

— "Pour qui a peur tout est bruit", disait ce bon Sophocle. Moi je n'entends rien.

— Vous comprenez le grec moderne ? demanda Pina.

— Nana m'a traduit.

— Ah, Nana ! elle est merveilleuse, n'est-ce pas ? Tellement mieux que sa sœur…

— Arrête », dit Nana.

Là, elle redevenait une enfant.

Dita apparut à l'autre bout du salon, dans une robe bustier. Nana se dirigea vers elle.

« Ah, les sœurs…, dit Pina.

— J'ai fait sa connaissance tout à l'heure, elle n'a pas froid aux yeux.

— Elle n'a froid à rien, mais attention, elle n'est pas bête. Et elle a du talent. » J'appris que Dita vivait entre Athènes et Londres, et qu'elle avait créé une marque de sandales dont les modèles étaient inspirés par les statues antiques. Ça marchait du feu de dieu. « Elle est en train de devenir la Louboutin de la spartiate. Kendall n'arrête pas de poster sur Instagram des photos où elle les porte.

— Kendall ?

— Kendall Jenner. Jennifer Lawrence aussi. »

Je comprenais mieux pourquoi elle accordait tant de soin à ses extrémités.

Nana réapparut.

« Ton père n'est pas là ?

— Non. »

J'étais déçu. Je l'ai interrogée sur la femme aux lèvres tueuses.

« Ma belle-mère. La mère de Marcello…

— Et la dame aux cheveux gris ? »

Je crus percevoir une hésitation.

« Ma nounou, finit-elle par dire.

— À ton âge ?

— Elle fait partie de la famille. Dita et moi, nous ne sommes pas allées à l'école. C'est elle qui m'a tout appris.

— Je l'ai déjà vue.

— Dans le quartier, certainement.

— Non, dans un autre pays.

— Elle voyage, je ne la surveille pas.

— Je l'ai vue avec toi…

— Paestum ? Je t'ai déjà dit non. Tu rêves, César.

— Tu te souviens du nom, pourtant.

— C'est toi qui m'en as parlé. »

Elle changea de sujet. « Excuse-moi pour tout à l'heure. Pour ma sœur. Je sais que tu n'y es pour rien. Elle allume tout le monde.

— Merci !

— Ce n'est pas ce que je voulais dire. Mais je t'assure que c'est insensé. J'ai hâte qu'elle parte.

— Elle vit ici ?

— Elle veut ouvrir une boutique à Paris, et elle débarque de temps à autre. Je lui ai simplement demandé de me prévenir. Quand elle vient, je me sauve. Je ne supporte pas. C'est le défilé.

— De mecs ?

— De tout. »

Je comprenais enfin. J'osai :

« Et toi ?

— Moi, c'est différent. »

Et elle me planta là. Je craignais de l'avoir blessée.

*

La soirée changea d'allure. Et de vitesse. Le jeune homme en sarong avait pris position derrière un pupitre et la musique se déchaînait. Les anciens quittaient le navire. La belle-mère déposa un baiser sur le front de Marcello qui ondulait, toujours caparaçonné dans ses vêtements de cuir, et s'esquiva en me lançant un dernier regard glacial. Je sentais le danger. J'ai repris une coupe de vin noir pour me donner du courage. La nounou aux cheveux gris veillait, droite, devant la double porte, toujours fermée.

Ce fut bientôt une fête totale. J'avais trop bu et j'avais les membres lourds. Je cherchais Nana dans les pièces de cet appartement dont j'avais mal évalué la taille et qui était désormais plongé dans la pénombre. Une biche courait sur la laque noir et or d'un paravent. Je reconnus un célèbre fauteuil en bois de palissandre qui avait fait l'objet d'une vente aux enchères très médiatisée il y a quelques années. Le père de Nana n'avait pas seulement du goût, il avait les moyens de ses goûts. J'aurais vraiment aimé rencontrer l'homme qui avait réuni tout ça.

Je m'abîmais dans la contemplation des portraits lorsqu'une main sembla sortir du mur et me saisit par le bras.

En Nana

« Finissons-en », me dit Nana en se collant contre moi. Elle glissa sa langue entre mes lèvres. Une porte s'était ouverte.

Elle m'attira sur un lit ferme. « Ne fais pas de bruit, s'il te plaît. » Bientôt son corps fut nu, comme le mien, que sa bouche parcourut, dessinant les lettres d'un alphabet sophistiqué sur mon torse.

J'eus un reste de pudeur. Et aussi de peur — tant le démarrage était enthousiaste.

« Tu es sûre ?

— Tais-toi. »

Les rayons de la lune me laissaient voir un corps plus voluptueux que dans mon souvenir, mais après tout je n'avais pas eu, jusque-là, le loisir de le saisir à pleines mains. Nana me laissait faire, désormais, sans la moindre entrave, s'arrimant à mes hanches comme si je devais lui sauver la vie, elle qui avait sauvé la mienne. Je sentais mon cœur battre beaucoup trop vite.

Elle se déplaçait avec souplesse, réchauffant mon sang de ses lèvres, s'allongeant sur mon visage tandis que sa bouche m'attrapait dans une caresse aux volutes compliquées qui semblait être le fruit d'un savoir ancien transmis d'initié à initié. Une lave gonflait dans ma tête, un grand soleil y bondissait. J'avais l'impression toute-puissante d'avoir pris des proportions inhabituelles. Elle bascula. Elle se renversa sur le dos, écarta les jambes et me présenta son corps fendu, le visage toujours dans l'ombre. J'eus une pensée pour ma morte, qui éclata comme une bulle sous le déluge de signaux qui affolaient mes neurotransmetteurs. La culpabilité essayait de mordre, en pure perte. Je me mouvais dans un corps doré et infini, je nageais dans des fluides brûlants et doux. Je n'entendais plus rien que de longs soupirs, au loin, comme de magnifiques chants oubliés. Je n'étais plus moi. J'ai fermé les yeux, j'ai vu une mer déchirée par les vagues, mais j'étais bien, allongé sur le sable tout au fond, regardant la surface qui ressemblait à un ciel. Puis il me sembla tomber vers le haut. J'étais jeté dans des flots violets, puis sur une grève, roulé sur des galets aussi lisses et chauds que les pures sphères que mes mains chérissaient, porté par les mouvements de son bassin qui aspiraient tout en moi. Bientôt, la chaleur fut telle dans mes reins que j'eus envie de me dégager. En vain, tant elle me maintenait fermement de toute la force de ses cuisses. Elle commença à gémir de plus en plus intensément. J'entendis une syllabe répétée comme une prière et que je reconnus pour l'avoir déjà entendue transpercer le mur de mon appartement. « Nê, nê, nê. » La chaleur était encore montée d'un cran : je faisais l'amour à du feu. Alors que le plaisir se changeait en douleur, alors que je me sentais près de m'évanouir, une pointe me traversa comme un javelot. Nana remua le bassin une dernière fois avant de se raidir. J'ai cru que je perdais la vie et qu'elle s'écoulait par saccades dans le corps de cette femme.

*

Quand j'ai repris connaissance, le soleil baignait la pièce et le corps allongé à mes côtés, à plat ventre, sa chevelure me cachant son visage. Je contemplai l'anatomie parfaite et commençai à comprendre que quelque chose clochait. Et lorsque mes yeux arrivèrent aux pieds, admirablement dessinés, et que je reconnus les ongles, je saisis mon erreur. Elle tourna la tête. Ses yeux turquoise étaient moqueurs.

« On dirait que tu t'attendais à voir quelqu'un d'autre… »

Dita sourit :

« Tu n'y es pour rien. Je peux être toutes les femmes, si je veux. »

Je me suis levé, j'ai rassemblé mes vêtements. Comment avais-je pu me tromper à ce point ?

J'ai découvert le lit. Un fantasme d'antiquaire, sculpté en forme de conque, avec des angelots jouant de la flûte. Métaphore trop claire. J'avais honte.

« C'est le goût de Papa, pas le mien, me dit-elle sur le ton de l'excuse, comme si elle avait lu dans mes pensées. Nous sommes dans sa chambre… »

L'idée d'avoir dormi dans le lit d'un homme si puissant ne m'a pas flatté. C'était comme s'il avait été présent tout ce temps, manipulant nos étreintes, écrivant nos rêves.

« C'est une pièce inestimable, tu sais. Historique, même. » Elle marqua une pause. « C'est le lit de la marquise de Païva, ça te dit quelque chose ? »

J'avais encore une fois la preuve de l'érudition des deux sœurs. « Une des plus grandes "horizontales", comme les appelait de façon imagée la bonne société du Second Empire. Et l'image ne rend pas assez la mesure, je trouve, de leur agilité. »

Je ne répondis rien. Je me rhabillai. Je comprenais que j'étais derrière la double porte qui donnait sur le salon, et qui m'avait toujours paru, d'une certaine façon, *gardée*.

« Tu n'es pas sans savoir qu'elle a servi de modèle à un personnage de Zola ? »

Qu'est-ce que j'en avais à foutre ?

« Pour un roman dont le titre était… »

Elle laissa la fin de la phrase en suspens tandis que j'ouvrais la porte.

« Nana », dis-je.

J'étais face à elle.

Quand elle me vit, la couleur déserta ses joues.

Quelqu'un qui pense à toi

Dès le lendemain, à l'Entreprise, on me trouva une mine superbe. Ceux qui rentraient de vacances me demandèrent où j'étais allé. « Tu me donneras l'adresse de ta clinique ? » m'interrogea, plus direct, le responsable des pages « Art de vivre » qui m'avait vu, lui, avant le week-end. En m'observant dans les miroirs de l'ascenseur, je constatai que j'avais, effectivement, après cette nuit folle, l'air d'être dans une forme olympique. Les traits reposés, le cheveu brillant, malgré la quantité d'alcool ingéré.

Psychologiquement, en revanche, j'étais écrabouillé.

Nana était devenue invisible.

Dita s'était évanouie.

L'appartement voisin était plongé dans le silence.

Sur son rayonnage, entre Sophocle et Strabon, la petite chouette me lançait des regards de reproche, même si, dans ses grands yeux étonnés, on lisait de toute façon ce qu'on voulait bien.

*

Pendant les jours qui suivirent, je bossai comme un dingue mais j'étais d'une humeur de dogue. J'avais beau avoir repris quelques forces, je luttais à nouveau contre les fantômes. Celui de Paz revenait à la charge. Nana n'avait-elle fait qu'occuper brièvement le terrain ?

Heureusement, il y avait mon fils, qui me réclamait la fin de l'épopée de Morlamock. J'irais le voir le week-end suivant.

*

Sur le quai de la gare, ses cheveux sentaient les algues et ses lèvres la vanille du glacier de la plage. On avait beau être encore en été, il m'apprit qu'il avait des doutes sur le père Noël. « Un petit papy qui ne meurt jamais, ce n'est pas *crédible* », asséna-t-il, ce qui fit éclater de rire mon père. « La vie parfois ne l'est pas non plus », aurais-je voulu répondre à mon fils.

À la fin du week-end, il me tendit un dessin : une femme brune, en noir, avec un cœur rouge qui saignait et des larmes plein le visage.

« Qui est-ce ? lui ai-je demandé.

— Quelqu'un qui pense à toi. »

*

Un soir où je n'arrivais pas à dormir, j'ai ressorti la cantine birmane où étaient rangées les dernières photos de Paz pour y chercher, encore, un signe, un détail que je n'aurais pas remarqué. J'ai ouvert le couvercle de métal, sorti l'enveloppe de papier kraft qui portait la mention « Nour », et la douleur m'a envahi. Revoir l'endroit, les falaises brunes, m'était insupportable. Les images me foraient le cerveau. La sensation de manque ouvrait grand ses babines. J'avais envie de crier. Je me suis servi un verre d'alcool. Puis un deuxième. Je suis sorti pour ne pas me taper la tête contre les murs. J'ai longtemps marché. Mais la Seine sous les réverbères me faisait penser à la mer, là-bas, où elle reposait. J'ai lutté comme un fou pour ne pas m'arrêter dans la pharmacie de garde du boulevard, celle qui est cernée de pauvres putes africaines et de mecs de l'Est coupants comme des dagues. Je suis rentré, submergé par la solitude.

Le lendemain matin, Nana sonnait à ma porte. Cela faisait quinze jours.

Elle entra mais refusa de continuer jusqu'au salon, son beau visage fermé à double tour.

« Nana, je suis désolé, je... » « Tu ne me croiras pas, mais... » Voilà ce que j'ai commencé à dire avant de m'arrêter par décence, avant d'aller jusqu'à la fin de la phrase : « ... *cette nuit-là, je croyais que c'était toi.* »

« Ne parlons plus de ça. »

Il valait mieux. Le ridicule ne tue pas mais il esquinte sérieusement.

Elle ne se priva pas, elle :

« Et puis, ce n'est pas comme si on était ensemble… »

J'ai accusé le coup sans broncher. Elle a pris une profonde inspiration.

« Mon père veut te voir. »

Et comme je lui en demandais la raison :

« Dita est mineure. »

J'ai failli éclater de rire. Mais elle ne plaisantait pas.

« Qu'est-ce que tu racontes ?

— Je sais, elle paraît beaucoup plus.

— Et son business, les sandales ?

— Ça n'a rien à voir. Elle est bien entourée. Mon père veut te voir. Je pense que c'est clair, non ? »

Je n'ai pas pu m'empêcher de sourire :

« Excuse-moi, Nana, mais il se prend pour qui ?

— Il se prend pour lui. Ce que mon père veut, généralement, se fait. »

Un pli cruel s'était invité au coin de ses lèvres. J'ai douté. Je repensais à l'appartement, aux trésors dont il regorgeait. Lake Stymphalia…

« Et il est où, ton père ?

— En ce moment, en Grèce.

— Et là, maintenant, il me convoque ? En Grèce, en plus.

— Demain. Prends-le comme une invitation.

— Demain ? »

Tant d'assurance et de pouvoir… C'était presque tentant de rencontrer un tel homme.

« Et je dois prendre un billet, comme ça, toutes affaires cessantes ? »

Elle secoua la tête.

« Il y a son avion.

— Évidemment, suis-je bête ! »

Oui, c'était vraiment tentant. Sans compter qu'un type de sa trempe pouvait avoir une sacrée capacité de nuisance. J'ai pensé à mon fils. Cet Athanis pouvait m'emmerder. Et c'était l'occasion de le voir enfin.

« Il faut que tu sois au Bourget demain à 8 heures. Une hôtesse t'y attendra. »

Ben voyons.

III

L'INVITÉ

Grèce, mer Égée, mais où ?
& Japon, mer intérieure de Seto

Dans les nuages

Enfoncé dans mon fauteuil de cuir, un verre de Martini à la main, je souris au-dessus des nuages. Seul être humain à bord de ce Cessna 510 Mustang, avec le pilote, le copilote, et Kouma, l'hôtesse camerounaise qui reste sourde à mes questions sur le propriétaire de l'appareil, je bois pour retrouver un semblant de lucidité.

Je revisualise le lit en forme de conque dans lequel exerça cette fameuse marquise horizontale dont l'hôtel particulier était surnommé par les frères Goncourt, en raison de son luxe et des caractéristiques de la maîtresse de maison, « le Louvre du cul ».

C'est quand même complètement n'importe quoi.

Pourquoi suis-je dans cet avion ?

Parce que je suis curieux de rencontrer cet homme puissant.

Parce que j'ai perdu ma femme, que j'en ai

déçu une autre, et que je ne veux pas qu'on me pourrisse encore un peu plus la vie.

On va régler ça.

*

Les nuages sont des particules de mousse à raser qui flottent dans l'eau bleue d'un lavabo géant.

J'ai besoin d'un nouveau verre.

Nous perdons de l'altitude et les nuages se dissipent. Sur la mer ridée, les confettis des îles. Les hommes ont beau être augmentés, ils sont encore trop petits pour qu'on les voie. Trois milliards d'humains sur la planète dans les années 60. Sept aujourd'hui. Sur le même espace. On comprend que ça coince ici ou là. Que certains aient envie de faire de la place de temps en temps.

Nous perdons encore de l'altitude. J'aperçois maintenant les petits cubes des maisons.

L'hôtesse me demande d'attacher ma ceinture.

Par le hublot, je découvre l'île où je vais atterrir. Nana ne m'a pas répondu quand je lui ai demandé son nom. J'interroge à nouveau l'hôtesse. « Désolée, monsieur, mais je ne suis pas autorisée à vous donner cette information. »

Je suis comme cette femme aimée à qui, lors d'un vol que j'avais effectué avant l'été, son mari avait caché sa destination, une ville d'amoureux dont elle rêvait depuis longtemps. Avant qu'elle n'embarque, le pilote avait demandé au micro l'attention de tous les passagers car il allait annoncer à l'arrivée le nom d'une autre ville, à la réputation un peu moins romantique, comme Gdańsk, Timişoara ou Gaziantep, et il fallait que tout le monde soit complice.

« Heureusement pour les femmes qu'il existe encore des hommes comme ça, m'avait dit ma voisine.

— La mienne est morte... c'est une surprise que je ne peux plus lui faire, hélas », avais-je répondu en expérimentant cette forme de franchise qui, si elle était généralisée, mettrait fin à notre belle civilisation. Elle s'était rencognée dans son siège.

L'île a la forme d'une pointe de flèche, traversée en son centre par une barre de montagnes, comme une épine dorsale. Un ruban de bitume apparaît, coincé entre la paroi et la mer. Il y a intérêt à ne pas se rater. L'appareil passe la barre rocheuse et son sommet mangé de brume, puis plonge de l'autre côté. Je m'accroche à mes accoudoirs. On va se manger les rochers. Non, on se rétablit, la mer défile à gauche, à droite l'aile de l'appareil frôle la paroi. Les aérofreins sont actionnés. Un choc. Les pneus, la carlingue vibre, l'appareil fonce comme une brute, puis ralentit, ralentit, et s'arrête juste avant la mer. Attachée face à moi, Kouma réajuste son corsage.

« Vous aimez la Grèce ? je demande.

— Je repars immédiatement », répond-elle en dégrafant sa ceinture. Elle se redresse, déclenche le mécanisme d'ouverture et me dit : « Vous êtes arrivé. » La porte s'ouvre, l'échelle se déploie. L'air est brûlant. Il sent le goudron et le romarin. Au bout du tarmac, j'aperçois un grillage défoncé et, derrière, une cahute blanche avec trois fenêtres à l'encadrement bleu. C'est tout.

Et absolument personne.

À gauche de la cahute, il y a un banc en plastique. Je m'assois, pianote sur mon portable. Pas de réseau.

J'attends. Je ferme les yeux. Me voici de retour en Grèce.

*

Enfin quelque chose apparaît dans mon champ de vision. Un deux-roues, pas pressé du tout, qui gravit la colline à son rythme. Il approche lentement. Un vieil homme le chevauche. Il est habillé d'une veste de bleu de travail, délavée par le soleil ou le sel, et d'un pantalon de velours. Arrivé à ma hauteur, il arrête sa bécane constellée de taches de rouille. Et fouille dans la sacoche qu'il porte en bandoulière. Il en tire une pancarte où je lis mon nom. Une heure après que j'ai atterri. C'est quoi cette organisation, Monsieur Athanis ? Le vieux me fait signe de monter derrière lui, sur le siège noir d'où jaillissent, par endroits, les bourrelets d'une mousse jaune.

Le village est ramassé, en contrebas, autour d'une baie en forme de U, et protégé par la montagne qui lui fait de véritables remparts. Pas besoin de la citadelle dont il ne subsiste qu'un pan de muraille. Les maisons sont de couleur blanche mais aussi jaunes, bleues, ocre, avec une façade néoclassique. Je découvre, étonné, le dôme d'une mosquée et la pointe d'un minaret.

Je demande à mon pilote où nous sommes. En grec, je connais quand même deux, trois mots. Pas de réponse. Il m'a entendu, pourtant : pas de casque, pas de vent, pas de bruit autre que le petit moteur pétaradant. Il baisse la tête comme s'il allait accélérer, mais il n'accélère pas.

Nous traversons le village. Mon pilote ne s'arrête qu'arrivé au quai. Au-delà, c'est l'eau transparente où dansent quelques poissons. Il me fait signe de descendre. Il y a là un café. Quelques chaises et tables en bois sous une treille qui protège du soleil. Une femme émerge des rideaux de perles de l'entrée. La cinquantaine robuste, encore belle, encore brune, elle porte un plateau chargé d'assiettes qu'elle dispose d'autorité sur l'une des tables où elle m'invite, d'un geste, à m'asseoir, juste devant la mer. J'ai faim et j'ai soif, alors j'obéis. Poulpe en salade, tomates et feta, olives. Personne d'autre dans ce port minuscule où seules trois barques se déhanchent mollement. Mes yeux se perdent dans le ciel.

J'ai rarement vu une lumière aussi pure. À ma montre, il est midi.

J'attaque le poulpe, relevé de poivre et de citron, délicieux. La femme est retournée devant son rideau de perles. Elle s'y tient, stoïque.

Je demande un café. *Helleniko café*, je précise. Avec le marc au fond. J'y trouverai peut-être une réponse à mes questions.

Lorsque je demande l'addition, elle secoue la tête.

Économe de ses paroles, elle me fait signe de la suivre à l'intérieur du café. Murs peints en bleu, tables de bois, quelques miroirs tachés par l'âge, des photos en noir et blanc, le village il y a cinquante ans… Ni icône, ni crucifix, ce qui m'étonne. Elle décroche une clef sur un tableau où sont peints des numéros — aucune ne manque, l'hôtel est vide — et s'engage dans l'escalier. Il donne sur un couloir où s'ouvre le rectangle lumineux d'une porte.

La chambre est sommaire, spacieuse, avec un grand lit couvert d'une courtepointe à motifs géométriques. Et un balcon, devant la mer sans rides.

« Comment s'appelle l'île ? »

Pas de réponse. Et toujours pas de réseau sur mon ordiphone. Cela commence à être pénible. Pour ne pas dire angoissant. Je voudrais appeler mon fils.

« Vous avez du Wi-Fi ?

— Du quoi ? »

Génial. Elle disparaît. Je continue mon tour du propriétaire. Une chaise de bois devant une petite table. C'est tout. Sur les murs blancs, nus, toujours pas d'icône, mais dans une niche, une statuette éclairée par des néons bleus. Sur un piédestal de bois, encadrée par deux colonnettes, une petite femme en argile est à genoux. Nue. La tête est sommée d'une auréole, ou plutôt d'un disque d'or. De fines chaînes de métal ou de bois d'olivier, comme des chapelets, entourent son corps. Au-dessus de chaque colonnette, deux cœurs et une étoile, en fil de néon. Rien d'une vierge, plutôt une idole primitive. Primitive, et électrique. Un fil terminé par une prise part en effet de la statuette. Je le branche. Les néons s'allument, en bleu.

Je décide d'explorer les alentours.

Prisonnier

La chaleur frappe comme une boxeuse. Le village est K.-O. Faussement : sensation, désagréable, qu'on m'épie derrière les fenêtres. Dès que je passe devant une maison, les rideaux bougent. Un ballon roule vers moi, suivi par un enfant en short. Je frappe doucement du plat du pied. Le petit récupère son jouet et disparaît dans une maison jaune, aux balcons de fer forgé. Où sommes-nous donc ? Aux façades à fronton, à la présence de la mosquée vers laquelle je me dirige, je pencherais pour une île du Dodécanèse, pas loin de la Turquie. La Grèce d'Asie.

J'avise le minaret, d'une dizaine de mètres de haut, à la coiffe pointue, rouge vif. Une fusée prête à décoller vers son dieu. Mais au-dessus de la porte, un écriteau porte ce simple mot : « Musée ». La mosquée est fermée. Pas loin, une église blanche avec un dôme bleu. Quand je m'apprête à en pousser la porte, même inscription : « Musée ».

J'arrive très vite au bout du village, qui se

termine par un bar. Quelques tables devant une maison aux murs chaulés où il doit être bien agréable de siroter un verre. Il a l'air fermé, comme le reste des commerces. Juste après le bar, le quai, en arrondi, s'arrête contre la paroi montagneuse. Une échelle de métal descend dans la mer. Il n'y a personne, alors j'enlève mes vêtements et me coule dans l'eau. La fraîcheur et le ballet des minuscules poissons sur les galets clairs me ravissent. Je pense à Paz, j'ai l'impression qu'elle est, désormais, toujours là, sous moi, quand je nage, veillant au grain.

Je suis maintenant loin du bord et, depuis le large, il me semble apercevoir, de l'autre côté de l'île, quelques taches blanches disséminées dans une végétation luxuriante. Je distingue un réseau de constructions assez importantes, modernes, établies sur plusieurs niveaux. Le domaine d'Athanis, sans aucun doute. Quand donc me fera-t-il signe, lui qui était si pressé ?

Je sors de l'eau, m'étends sur le quai, à l'ombre, loin des yeux épieurs du village. J'essaie de me détendre en écoutant le bruit des vagues presque recouvert par le vacarme des cigales. Je suis en train de me rhabiller quand j'aperçois un homme qui me regarde, depuis la terrasse du bar.

Je me dirige vers lui.

« *Kalimèra* », je dis.

Il me renvoie la politesse. Un vieux encore. Avec un visage tanné par le soleil et mangé par une barbe fournie, dans lequel luisent deux yeux très clairs. Il est chaussé de sandales, porte un pantalon de toile et un tee-shirt gris. Il ne dit rien. Je commande une bière et m'installe à l'une des tables. Il revient avec une bouteille et un verre, qu'il pose sans un mot devant moi. Je regarde l'étiquette et souris. La bière, brassée à Thessalonique, s'appelle Mythos.

J'étais revenu à l'auberge quand le ciel a viré à l'orange. La bière m'avait été offerte. Comme si on avait donné une consigne. Remonté à ma chambre, je m'étais endormi. L'agitation sur le port m'a réveillé. Je suis allé sur mon balcon. La mer s'était couverte de bateaux. Avec quelque chose en plus, devant leur étrave. J'ai reconnu les formes bondissantes, joueuses. Des dauphins. Des dizaines de dauphins qui semblaient tracter les embarcations. Ils s'amusèrent encore dans les eaux du port, écumants d'énergie, jusqu'à ce que les bateaux soient à quai. Je croyais ce genre de spectacles de communion homme-nature renvoyés à des temps légendaires. Le village, alors, commença à vivre, les pêcheurs débarquant sur le quai les casiers où grouillaient poissons et crustacés, aussitôt triés par les femmes, fixant des élastiques aux pinces des homards, allongeant les espadons sur des lits de glace. Uniquement des femmes et des hommes d'âge mûr, et des enfants. Pas de jeunes, comme si une génération entière manquait à l'appel. Partis sur le continent trouver du travail ?

Deux camionnettes surgirent. L'une d'elles

se gara près des bateaux. En émergea, comme pour me faire mentir, un jeune homme, vêtu d'un élégant uniforme blanc, chemise et short. Il ouvrit les portes arrière qui accueillirent bientôt la quasi-totalité de la pêche. L'autre, pendant ce temps, rangée à cinq mètres près d'une remise à l'ombre d'un bouquet de cyprès, faisait le plein de cageots remplis de citrons à la peau éclatante, de grenades bien mûres et de tomates d'un rouge vif, sous la supervision d'une jeune femme qui portait le même uniforme que son collègue. Je me suis approché. Il y avait quelque chose de brodé au niveau du cœur, mais je n'ai pas pu avancer davantage. Dûment chargés, les véhicules se sont engagés sur la route qui grimpait dans la montagne.

Les pêcheurs ont terminé de mettre de l'ordre dans les filets et les casiers pendant que les femmes se partageaient ce qui restait de la pêche. Puis tout le monde se dirigea vers la terrasse de mon auberge où les verres s'entrechoquèrent. Aucun pope, personnage pourtant crucial de la vie hellène. C'est alors que j'ai remarqué qu'il y avait neuf bateaux, pas un de moins, pas un de plus, et que chacun d'eux portait le nom d'une des neuf muses selon la *Théogonie* d'Hésiode. Thalie, Érato, Euterpe, Polymnie, Calliope, Terpsichore, Uranie, Melpomène et Clio.

Le soir, ma logeuse me servit une daurade, cuite avec quelques gouttes d'huile, des cristaux de sel et une poignée d'olives. Exquises noces de la mer et de la terre, célébrées par un carafon de vin. Quand je voulus payer, à nouveau elle me fit comprendre que ce n'était pas la peine.

« M. Athanis ?

— *Nê.*

— Il vous a dit quand il venait me chercher ?

— *Ochi.* »

Le lendemain, en fin d'après-midi, je tente la route de la montagne. Ma logeuse m'a trouvé un vieux vélo. Il grince sous mes coups de pédale. Mes genoux aussi. La chaleur tire ses flèches sur ma nuque. En haut de la colline, un vieux fort veille sur ses ruines. Je continue mon chemin, qui se divise en trois sentiers. Je prends celui du centre et traverse un maquis dont les parfums explosent sous la chaleur. Ça sent le thym et le myrte.

Je m'arrête juste à temps. La roche se jette dans la mer verte, cent mètres plus bas. Vert pâle. Les yeux de Nana posés sur moi. Je reviens sur mes pas. Je prends le sentier de gauche. Au bout de cinq cents mètres, il se divise encore. Autour, une garrigue impénétrable, sonore. Frottements d'ailes, larves qui creusent le bois, crissements, pas microscopiques sur les cailloux. Toute une petite faune s'ébat ici, m'envahit, m'égare. Déjà de l'orange s'invite dans le bleu du ciel.

Je fais machine arrière. Je pose le vélo sur un reste de rempart. Du haut du fort, je jouis de la vue sur l'île et ses maisons qui se pressent côte à côte, jaunes, bleues, rouge sang, avec leurs frontons et leurs balcons, leurs tuiles vives, le long du quai, comme des animaux de pierre autour d'un point d'eau en savane. L'aigu de la mosquée et le bombé de l'église se jouxtent, mieux, se touchent. On se demande quel enfant pourrait produire cette union de circonstance sur cette petite île isolée. Autour, c'est de la montagne, rien que de la montagne, de la roche qui brille comme un beau corps de marbre, avec ses courbes et ses articulations, ses douceurs et ses abrupts. Du roc et de l'eau. Tout ce qui restera quand nous ne serons plus. Jouissant de la caresse brûlante du soleil, un lézard me défie, bien calé sur ses pattes griffues, la gorge tendue, fière, ses deux gros yeux mobiles. J'avance la main. Il se sauve dans un réduit niché entre deux créneaux. Je cherche mon ordiphone. Toujours pas de réseau.

Il faut s'y résoudre : je suis prisonnier.

Le ciel est presque rouge, maintenant. Les flots semblent saigner et aimer ça. Je redescends, le vent entre dans ma tête.

En bas, à droite, avant de rejoindre le village, une crique de sable me fait de l'œil. J'ai encore envie de me baigner. Je me dénude, je nage, je sens des formes sous moi, un autre monde qui s'agite sous mon torse, mes cuisses, mon sexe. Poulpes et daurades, hippocampes et êtres fabuleux. L'eau phosphore au moindre de mes mouvements, d'une lumière venue du fond des âges.

Je m'allonge sur le sable, il est tiède. La brise me sèche, la nature m'est bonne. Je respire mieux. Mes bronches sont dégagées. Je ne pense à rien. Mon corps a bruni. Il se réveille.

À la pension, quand j'arrive, la patronne, mains sur les hanches devant son rideau de perles, me désigne ma table dressée sur le quai. Une bière fraîche m'y attend. Les gouttes d'eau glissent sur la bouteille ornée d'une étiquette avec une licorne.

Prisonnier, mais bien traité.

Les villageois vont et viennent, boivent, rient, mangent. Des enfants et des vieux, j'en reconnais certains. Des pêcheurs. On ne fait pas attention à moi. Je croque dans une tomate qui jute. Mords dans la chair d'un poulpe. J'ai l'impression d'être transparent.

Dans la chambre je m'étends sur la courte-pointe, douce à ma peau. La fenêtre est ouverte, le ciel est piqueté d'étoiles, je me fous des constellations. J'entends le bruit des vagues. Je suis dans l'immensité. J'oublie. De la petite idole émane une lumière bleue. Je devine ses courbes, son disque d'or. Je rêve bien.

Le vieillard

Une phrase roule les « r » à mes oreilles. Des mains me secouent vigoureusement. J'ouvre un œil et je découvre ma logeuse. « Réveil », ajoute-t-elle en français comme si je n'avais pas encore compris. Je suis complètement nu. Ça n'a pas l'air de la gêner. Je cherche à remonter les draps sur moi, elle les retire et me fait comprendre d'un geste que je dois me lever.

« Athanis », dit-elle.

Mon cœur se met à battre plus fort.

Elle attend que je m'habille. Elle me surveille, ma geôlière, que je n'aille pas me sauver. Nous descendons.

Je la suis, traverse le rideau. Il fait encore noir. Il n'y a aucun bruit sur la terrasse, excepté celui de la mer. Le village dort à poings fermés. Il y a dans l'atmosphère cette vivacité de l'air qui précède le réveil imminent du soleil, cette brume des petits matins, tonique, pleine des parfums piquants de la nature, menthe et bouc.

Quelqu'un est déjà installé à ma table. Je m'approche.

« Je ne vous ai pas fait réveiller trop tôt ? »

La voix est chevrotante. C'est une voix de petit vieux. D'ailleurs c'est un petit vieux qui me fait face, vêtu d'un survêtement blanc et rouge en polyester. Il a les cheveux gris-blanc, coiffés vers l'arrière, implantés haut sur le front. Un visage ridé, dont je distingue mal les traits. Je suis un peu déçu. Athanis, lui ?

Il tient un mug fumant à la main.

« Non, je réponds. Je commençais à me demander ce que je faisais là… »

Je suis toujours debout. Il me montre la chaise en face de lui.

« Je vous ai laissé la meilleure place.

— Pour regarder le lever du soleil ? »

Il sourit.

« Pas que… »

Ma logeuse vient d'apparaître. Elle pose un café devant moi. Baisse les yeux devant l'homme.

Il ne dit rien. Il attend, me dévisage. J'examine l'écusson de son survêtement. Le profil d'un athlète couronné de lauriers et, au-dessus, un nom : Olympiakos. Le club de foot du Pirée, celui de la classe ouvrière. L'homme ne ressemble à rien d'autre qu'à un retraité qui, dans cinq minutes, va faire son tai-chi en regardant l'aurore se lever. Ou partir à la pêche.

J'entends soudain du chahut dans l'eau, derrière lui. Un chahut mouillé. Il se retourne vers la mer. « Les dauphins… Regardez. » Une lumière rase les flots. La nuit n'en a plus pour longtemps. Je distingue à quelques mètres de notre quai des formes fluides, rapides. C'est tout. « On a raté le saut, dommage, dit-il avant de se mettre à chanter, tout doucement : *"There's a tale that they tell of a dolphin / And a boy made of gold…"* »

Je repose mon café sur la table, avec un certain agacement. Il s'arrête.

« *Boy on a Dolphin*, vous avez vu ce film ? Sophia Loren en pêcheuse d'éponge, à Hydra… »

Il parle d'une voix traînante, mais absolument sans accent.

« Non, je ne l'ai pas vu. C'est pour les dauphins que vous m'avez fait venir ? »

Il sourit. Je distingue mieux ses traits, les dessins des rides sur son visage, ses yeux vifs sous les sourcils anthracite. D'un vert plus profond que ceux de Nana.

« Non. Pas pour les dauphins.

— Pour quoi alors ?

— Ma fille… »

Je l'interromps :

« Je ne savais pas qu'elle était mineure… »

Le petit vieux me regarde, étonné.

« De quoi me parlez-vous ?

— Dita, je répète, je ne savais pas qu'elle était mineure. »

Il éclate de rire :

« Qui a inventé cette histoire ? »

Et comme je ne réponds rien :

« C'est Nana ? m'interroge-t-il. Décidément, elle a de qui tenir. »

Je baisse les yeux. Je me sens ridicule. Joué.

« Ne le prenez pas mal », reprend-il en portant à ses lèvres son mug de thé brûlant. Il souffle dessus, puis en boit une gorgée. « Nana ne voulait pas vous blesser. C'est moi qui lui ai demandé de vous faire venir. Quant à Dita, non, elle n'est pas vraiment *mineure*, et faire l'amour avec elle est un plaisir rarement accordé à des gens comme vous. Grand bien vous fasse. » Il regarde ses mains.

« Je sais que vous en pincez pour Nana, mais n'ayez aucun regret, Nana ne se donne pas. *Par définition*, j'allais dire… »

Je lève les sourcils.

« Par définition ? »

Il se fige :

« Mais enfin, César, vous n'allez pas me dire que vous n'avez pas encore compris ? »

L'enfant

Le soleil s'était dressé, d'un coup, éclairant d'une lumière poudrée notre table, son visage, la mer à nos pieds. Le chant des oiseaux avait brisé le silence. Ça sentait le sel et la résine, presque l'encens.

Une coccinelle se posa sur sa main brunie par le soleil. Il la regarda parcourir ses doigts, s'arrêter dans les rigoles creusées par ses veines et ses tendons avant de reprendre son envol.

« On est où ici ?

— En Grèce.

— Merci du renseignement. »

Il sourit.

« On pourrait appeler cette île Délos, Naxos, Mytilène, Ithaque même, qu'est-ce que ça changerait ?

— Vous vivez ici ?

— Vivons-nous ? »

Il plongea ses yeux dans les miens. Sous ses airs débonnaires, il était inquiétant.

« Où est Nana ?

— Jamais loin de vous. Mais il vaut mieux que vous ne la revoyiez pas. Vous lui en voudriez, et vous auriez tort. Elle a fait ça pour votre bien.

— Me mener en bateau ?

— C'est pour ça qu'on l'aime… Mais je ne crois pas qu'elle vous ait trompé sur tout. Elle est même allée, à mon goût, un peu trop loin.

— Je ne comprends pas. »

Il se tourna vers la mer.

« Taisez-vous. Il arrive… »

Un ferry de petite taille venait d'apparaître. Blanc, la coque bleue, des grappes d'humains au bastingage. Il glissa sur les flots jusqu'à la jetée, à quelques mètres de nous, où il s'arrêta. On fixa les aussières, une passerelle fut tirée. Des enfants éblouis par le soleil, menés par une poignée d'adultes, en sortirent comme une armée joyeuse. Petits hoplites à sac à dos, ils se dirigèrent vers la terrasse, et prirent place. Ma logeuse sortit, que je découvrais souriante, apportant du lait et du pain avec du miel dans lequel ils mordirent à pleines dents. Ça bavardait, ça riait. Mais je ne percevais pas distinctement leurs conversations. Il me sembla, quand même, entendre des mots en français. Un souvenir revenait. Un souvenir ancien.

Braqué sur eux, le visage d'Athanis était immobile.

« Qu'est-ce qu'ils viennent voir ?

— L'île. Le vieux fort vénitien. Il y a des tombes lyciennes, aussi, là-haut. »

Ce fut alors comme si un aimant puissant avait attiré mon regard. Je crus, d'abord, qu'il s'agissait de mon fils. La même tignasse de cheveux bruns, l'œil qui paraît rêveur, mais qui en fait est concentré sur autre chose. Mais non, les cheveux étaient plus clairs. Et puis quelque chose brillait à son cou. Un disque minuscule. Un disque d'argent. Je compris. Je voulus me lever. Mais la main d'Athanis me retint d'une poigne ferme.

Ce petit garçon regardait la mer et le soleil. Il avait, à la main, un crayon, et il dessinait, dans son cahier, un appareil photo jetable posé à côté de lui. Il dessinait la mer, il dessinait le soleil. Il dessinait ce pays.

Les larmes montaient dans ma poitrine.

Le petit garçon but une gorgée de lait, s'essuya la lèvre d'un coup de langue et regarda à nouveau la mer, avant de reprendre son dessin. S'arrêtant de nouveau, il sortit de son sac à dos une trousse de cuir jaune, que je reconnus parfaitement, et de cette trousse une gomme avec laquelle il effaça les lignes qui ne lui convenaient pas.

Je savais ce qu'il faisait.

Il écrivait et dessinait Delphes, sanctuaire cerné de montagnes, où parmi les eucalyptus qui ravissaient ses poumons il avait vu « le nombril du monde » bombé, plein de promesses. Le soir, dans l'auberge où ils dormaient, il avait mâché du laurier mais rien n'était venu. Les dieux se taisaient. Pas grave.

Toujours, il vivra pour tenter.

Il écrivait et dessinait Olympie, où il avait couru sur le stade, avec l'impression d'avoir le souffle de Zeus dans le dos, et même en lui. Il paraît que c'est ça, l'« enthousiasme », quand le dieu entre en vous. C'est ce qu'avait dit la prof, qu'il aimait beaucoup. Les dieux punissent aussi. Ainsi de l'athlète superstar Milon de Crotone, six titres aux jeux Olympiques, sept aux jeux Pythiques, neuf aux jeux Néméens, dix aux jeux Isthmiques, et qui par la seule force du sang dans ses veines pouvait rompre la corde qui lui entourait la tête. Il meurt après avoir voulu fendre un chêne en deux avec ses mains. Il les a plongées dans une faille du vieil arbre et elles sont restées coincées. Les loups l'ont mangé. Milon est mort de bêtise, ou plutôt d'« hybris », l'orgueil démesuré que les dieux ne supportent pas.

Toujours, il vivra pour apprendre.

Il écrivait et dessinait l'Acropole d'Athènes, devant laquelle il avait dîné. C'était la première fois qu'il dînait sur un toit. On lui avait expliqué que le Parthénon, jadis, était en couleurs, comme la plupart des statues grecques, dont la blancheur n'est que le fruit du temps. La prof lui a dit que Parthénon vient de Parthénos, « la vierge », l'un des surnoms d'Athéna. « Elle veut rester une jeune fille, lui explique-t-elle quand il demande ce que cela veut dire. Ne pas avoir d'amoureux. — Et si elle en a quand même, elle est foudroyée par Zeus ? » Il n'obtient pas de réponse, et veut savoir.

Toujours, il vivra pour comprendre.

Il écrit et il dessine la taverne du Pirée où on les a emmenés avant de quitter Athènes. De vieux marins qui ne naviguaient plus avec lesquels il avait chanté une chanson intitulée *I Gorgona*, « *La Sirène* ». L'histoire d'un homme que deux femmes aimaient, mais qui aimait, lui, une sirène. Déjà…

Il écrit et dessine le verre d'ouzo qu'il a bu en douce, là-bas, en chantant *I Gorgona*. C'est son premier verre d'alcool. Ça chauffe dans la gorge, c'est bon. Il a l'impression qu'une nouvelle force croît en lui. Il rentre à 22 h 30 mais c'est déjà, pour lui, une nuit blanche.

Toujours, il vivra pour ne pas dormir.

Il écrit et dessine Sparte, ses ruines et ses Asphodèles. Là-bas on lui a lu Plutarque, et cette histoire de l'adolescent qui avait préféré se laisser déchirer le ventre par les dents et les griffes d'un renardeau qu'il avait dérobé, plutôt que d'avouer son larcin. On lui a lu aussi : « La nudité des filles n'avait rien de honteux, parce que la vertu leur servait de voile, et écartait toute idée d'intempérance. » Il écrit et il dessine Égine, où il se baigne et est ému par le corps d'une camarade beaucoup plus grande que lui.

Toujours, il vivra pour le désir. Sa morsure.

Pégase, Bellérophon, Orphée, Thésée, Ariane, Hélène, Pâris, Circé, Nausicaa… Dans le territoire même où elles ont été forgées, ces histoires entrent dans sa tête, s'y enracinent et n'en sortiront plus. Une sensibilité se forge et on ne la déforgera pas. Les rocs des murailles cyclopéennes sous lesquelles le roi Agamemnon dort à jamais lui donnent le sens du passé. Les étincelles d'or liquide qui pleuvent sur le corps nu et chaud de Danaé fécondent son imaginaire. À jamais.

Il vivra dans les histoires, pour les histoires.

L'enfant suspend soudain son geste. On l'appelle. Il range ses crayons dans sa trousse, ferme son cahier, dont je reconnais l'illustration qui en orne la couverture. Elle brille dans les rayons du matin et alors tout me revient. Un dessin amélioré par des collages, que j'avais mis des heures à réaliser, avant le voyage, d'après une légende lue dans mon grand livre de mythologie et qui m'avait particulièrement touché.

L'enfant range dans son sac à dos ce cahier que je n'ai, hélas, jamais pu retrouver.

Il rejoint ses camarades. Le voir partir me rend triste. Je voudrais lui parler. Il se tourne vers le soleil et vers la mer qu'il réclamera toujours à la vie. Il lui réclamera aussi qu'elle le surprenne, lui donne des princesses à enlever, et surtout des occasions d'être enlevé, ravi. Dans tous les sens du terme. Toujours.

Avant de disparaître il se tourne aussi vers moi. Il me regarde, de loin, comme s'il me reconnaissait à son tour.

Et pour la première fois je pleure sans haine. Les pleurs me lavent de toute la poussière du deuil qui obscurcit mes yeux depuis si longtemps.

« Cet enfant-là, il était plein de promesses, dit alors calmement Athanis. Contrairement à l'homme qu'il est devenu, et qui n'avance plus. Vous vous trahissez, César. »

Le soleil continue à faire miroiter la mer. Mon visage est couvert de larmes.

Athanis prend un paquet à côté de lui, et le fait glisser sur la table.

« Cadeau de Nana », dit-il.

Je défais le papier crépon. J'ouvre de grands yeux en reconnaissant le cahier perdu. Le cahier même que l'enfant couvrait, il y a encore quelques minutes, de ses dessins et de son écriture. Je l'ai tellement cherché, ce cahier, allant jusqu'à retourner ma chambre d'enfant parce que je voulais le montrer à mon fils. Comme il me manque ! Je voudrais enfouir ma tête dans ses cheveux bruns, lui demander pardon et couvrir de baisers son petit corps hâlé par ce stage de voile dont j'espère tant. Je rêve de naviguer avec lui. Et dire que je ne l'ai même pas appelé...

J'ai souri en redécouvrant les tickets de musée

collés en face des dates et des lieux. Corinthe. Nauplie. Les dessins naïfs, mais précis, des héros sur les vases du musée d'Athènes, les prospectus découpés, les morceaux de cartes, le plan du Parthénon et sa représentation en couleurs, au pastel, les Asphodèles de Sparte, séchées entre les pages.

« Je crois que Nana voulait vous rafraîchir la mémoire, dit Athanis.

— Pourquoi moi ?

— Vous pensez tellement à nous... »

Je ferme le cahier et je contemple le fameux dessin de la couverture. Oui, des heures de travail. J'avais eu l'idée, pour que les armures scintillent, de coller de minuscules écailles patiemment découpées dans du papier doré.

Des écailles d'or pour trois soldats, qui dansent tout armés autour d'un nourrisson que j'ai représenté un peu trop potelé. J'adorais cette histoire : celle de Zeus bébé, dissimulé par sa mère à la fureur cannibale de son père, Cronos, qui dévore, les uns après les autres, tous ses enfants. La mère l'a exfiltré en Crète, où il est nourri par une chèvre magique aux mamelles d'abondance. Mais tout dieu qu'il est, il n'en reste pas moins un bébé : il gazouille, pleure, crie. Cronos a l'ouïe si fine qu'il pourrait l'entendre, le découvrir, et le manger. Alors la mère a engagé ces baby-sitters d'un nouveau genre. On les appelle les Curètes : des dieux soldats, qui, dès que le bébé se met à vagir, frappent leur épée contre leur bouclier, et dansent, et chantent pour couvrir les bruits du petit. Les Curètes veillent sur sa vie.

Ce que j'avais senti sans le comprendre, à l'époque, m'apparaissait aujourd'hui d'une façon limpide : les soldats ne protègent pas seulement sa vie. Ils protègent son enfance.

Car contre le temps qui dévore, seule notre enfance, ce qu'on y puise, peut nous sauver.

Il me sembla, à ce moment précis, les entendre au loin, les bruits des armes sur les boucliers.

« Au revoir, César, me dit Athanis en remontant jusqu'à son cou la fermeture à glissière de son survêtement.

— Attendez. »

Il a eu l'air surpris. Ses yeux brillaient, très intenses. S'il était celui que je pensais, alors le moment dont je rêvais si souvent depuis la mort de Paz était venu.

« J'ai besoin de savoir une chose, ai-je dit.

— Il faut demander aux oracles pour ça… Ou aux sirènes. » Il cligna de l'œil avec malice. « ὅσσα γένηται ἐπὶ χθονὶ πουλυβοτείρῃ. "Tout ce qui advient sur la terre féconde"… Cela vous dit quelque chose ? »

La conversation des Sirénuses me revint.

Les bruits montaient de plus belle autour de nous. Des coups réguliers. Tout paraissait pourtant si calme. Athanis tourna la tête vers la mer, soucieux.

« Une seule question…, ai-je dit.

— Qu'est-ce que vous voulez savoir ? »

Je me suis lancé.

« Si elle nous aimait encore. »

Son front se plissa.

« Explorez les archives de votre cœur », répondit-il simplement.

Sa réponse m'a atterré. Tout ça pour ça ? Comme je baissais les yeux, déçu à mort, il ajouta un mot. Mais un mot, hélas, que je n'ai pas pu entendre distinctement. Car il fut recouvert par un bruit sourd, une secousse qui fit trembler la table. Le mot qu'il avait prononcé faisait entendre une musique exotique, pas grecque. « Dachima. » « Mechima. » Malheureusement il n'eut pas le temps de le répéter. Il y eut une énorme explosion derrière ma tête. Je pensai immédiatement : « terrorisme ». L'image d'Athanis vola en éclats. C'était comme si la foudre était tombée, pulvérisant tout. Je voulais crier, mais je n'y arrivais pas.

. . . .

« Monsieur, monsieur ! » La voix tentait de percer le coton qui m'emprisonnait. Mais j'avais la bouche trop pâteuse pour répondre.

« Doucement ! Doucement ! » C'était le noir complet, ou plutôt un brouillard où évoluaient des silhouettes, rapides. Je sentais que je m'élevais. Que je glissais dans l'espace… On me portait, je crois bien. Et je me laissais porter, méduse dans les courants.

J'ai senti une douleur dans le bras. Une aiguille. Et un goût de plastique désagréable dans la bouche. J'ai vomi.

J'ai repris connaissance, comme on dit, au son strident d'un gyrophare. Je n'ose pas dire « sirène ». Le véhicule allait vite. Et le mot aux sonorités étranges prononcé par Athanis tournait dans ma tête. Sechima ?

À l'hôpital, quand j'ai été tiré d'affaire, et que j'ai demandé des précisions, je n'ai obtenu qu'un vague contour des événements. Quelqu'un avait donné l'alerte. Ma porte avait été défoncée, ils étaient entrés et m'avaient trouvé là, inconscient, le pouls très faible. « Qui a donné l'alerte ? — La personne n'a pas décliné son identité. — Mais comment savait-elle ? — Vous êtes en vie, monsieur, c'est tout ce à quoi vous devez penser. Il y a encore des gens bien. » Ils m'ont quand même mis sous la coupe d'un psy. « En cas de récidive. » C'est le dernier commentaire qu'ils ont fait, avant de me laver l'estomac.

Le mot tournait toujours dans ma tête. Au réveil, le midi, le soir, avant de fermer l'œil. Mishima ? J'étais sous sédatifs. J'ai cru que ça passerait.

Une semaine après, je venais de rentrer chez moi quand on a sonné à la porte. Je suis allé ouvrir, le cœur battant, et j'ai découvert ma voisine. Elle avait toujours quatre-vingts ans. « Qu'est-ce qui s'est passé ? m'a-t-elle demandé, il y a eu du raffut la semaine dernière.

— Une fausse alerte, madame Aveline, une fausse alerte. »

Il n'empêche, le rêve me revenait dans ses moindres détails. Et le dernier mot prononcé par Athanis me hantait. Dachima ?

J'ai fini par trouver.

Ce n'était ni Mishima, ni Sechima, ni Dachima, mais Teshima. Une île du Japon. Dans la mer intérieure de Seto.

ÉPILOGUE

L'ÎLE DES CŒURS BATTANTS

C'est l'aube. Je fais coulisser la cloison de papier de riz et me voici en pleine nature. Les bambous font un rideau vert qui ondule dans le vent et me dissimule les oiseaux. J'entends pourtant leur pépiement, leur froufrou dans les feuilles. Je soulève les planches du bain une par une, les dépose contre le mur, à la verticale. Elles servent à garder la chaleur de l'eau, dans laquelle je me glisse. La brûlure me surprend, puis peu à peu me calme. J'ai mal dormi, énervé par la découverte possible.

Philippe m'a accueilli comme un frère. Il vit dans l'archipel depuis trente ans. C'est lui qui m'a aidé à identifier Teshima car Google, notre oracle moderne, était resté muet. Ou plutôt, il avait raconté n'importe quoi, rien qui fasse sens pour moi. À ce détail près : c'était souvent lié au Japon.

Philippe était de passage à Paris pour ses affaires. Je lui avais demandé si la « musique » lui disait quelque chose. Quand il m'a dit que oui, il y avait bien Teshima, une île de la mer intérieure de Seto, dotée d'un centre d'art, je suis tombé en arrêt. Nana m'en avait parlé. Mais elle avait donné un autre nom.

« Ce n'est pas plutôt Naoshima ?

— Il y en a un aussi à Naoshima. Teshima est l'île d'à côté. Beaucoup moins connue, bien qu'abritant une très belle œuvre, une goutte d'eau dans laquelle circulent d'autres gouttes d'eau. »

De ça aussi, je me souvenais. Nana m'aurait mis sur la piste, bien avant son père ?

J'ai pris un billet pour Tokyo.

Mon Shinkansen part dans quelques heures. Ensuite il me faudra monter dans un autre train — « beaucoup moins rapide », a précisé Philippe — puis dans un bateau qui me mènera à Naoshima et, de là, dans un autre pour Teshima. Un vrai petit périple.

Nous prenons le petit déjeuner. Lui, moi, et son épouse, d'une grande beauté, d'un grand humour. Ils s'aiment. Son prénom signifie « Belle nécessité », m'apprend Philippe, devenu, après tout ce temps, le plus japonais des Français, à moins que ce ne soit l'inverse. Il ne rentrera plus, m'assure-t-il, samouraï à sa façon, samouraï en tweed sauf quand il ouvre, comme il l'a fait hier, rarissime privilège, la cérémonie de *yabusame*, à cheval, droit dans ses étriers, enveloppé dans un kimono bleu nuit orné de fleurs blanches, sabre au côté. Un incroyable tournoi d'archers à cheval, en tenue de chasse médiévale, peaux de daim ou de renard sur les jambes, trois lames à la ceinture, arc de bambou au poing, et capables de décocher, parfaitement fluides, en quelques secondes au grand galop, trois flèches sur trois cibles de terre cuite de la taille d'une balle de tennis. J'ai failli manquer ça. Peur de perdre du temps. « Et si tu le prenais, plutôt ? » m'avait répondu Philippe. Le voici de retour à la tribune, sans son sabre mais toujours en kimono. Le rituel, me dit-il, institué par un shogun, n'a pas bougé depuis le XIIe siècle. Et comme au XIIe siècle, il arrive encore que des débutants s'arrachent l'oreille avec la corde de leur arc.

Je réapprends à vivre dans le « dernier pays civilisé au monde », selon l'expression de Nana. Le rêve continue à m'accompagner, avec un luxe de précisions. Je me souviens de tout. Absolument tout.

Dans une vitrine de la ville, parmi des figurines au regard étrangement vide, une chouette me fait signe. Je m'arrête. « Des *daruma* », me dit « Belle nécessité », m'expliquant qu'il s'agit de porte-bonheur : il faut peindre la pupille du premier œil à l'encre noire en formulant le vœu qu'on voudrait voir se réaliser, et celle du second œil seulement si le vœu se réalise. J'achète la petite chouette.

*

Des fenêtres du Shinkansen je ne vois pas le mont Fuji. Trop de brume. Au-dessus de ma tête, des leds rouges annoncent le nom de la prochaine station : Mishima. Les écrivains sont-ils aussi des lieux ?

Je traverse la mer Intérieure. À l'arrière du ferry, des membres de l'équipage grignotent des chips au wasabi en regardant bouillonner le serpent d'écume.

Je suis le seul passager à débarquer dans le port de Teshima. Sur la grève, un homme et une femme, âgés, en bottes de plastique et chapeau de roseau tissé, ramassent des coquillages. Même quand ils se redressent, ils restent voûtés.

Je loue un vélo électrique. Un coup de pédale, une centaine de mètres : l'expérience a un côté bottes de sept lieues.

Le vent souffle à peine. La lumière est extraordinairement limpide. Sensation de paix presque totale. La mer Intérieure : je comprends pourquoi.

Le centre d'art est au sommet d'une colline, en surplomb de la mer. Une goutte d'eau, oui, déposée dans une clairière. Mais une goutte d'eau géante dans laquelle on peut entrer, après s'être déchaussé. Sous la peau le béton est froid, tout en courbes, avec un grand trou au milieu par où entre la nature, toute la nature, le vent et les aiguilles de pin ainsi que la pluie et la rosée, dont les milliers de gouttes, glissant sur la structure lisse, dessinent des tableaux mouvants, translucides, qui se font et se défont au gré des secondes, des minutes, des heures.

Éloge de l'impermanence.

C'est très beau mais cela ne fait pas sens avec mon histoire.

Aucun sens.

Je m'assois en tailleur. Je me rends. Je ne suis pas en colère. C'était une belle lubie. J'ai cru que je saurais et je ne saurai jamais. Il faudra bien que je vive avec ça. Je jette un regard désolé à ma petite chouette *daruma*. Elle restera borgne. C'en est presque comique.

J'aurai au moins vu, un peu, le Japon. Ça plairait à mon fils. Il faudra qu'on revienne.

Ma bouteille d'eau est vide. J'aimerais bien un thé. On m'indique un village de pêcheurs, au bas de la colline. Mon vélo de sept lieues dévale la côte. La vitesse joue avec mes cheveux. Dix mille kilomètres pour ça ? Je ris de ma naïveté.

J'atteins le village. Quelques maisons et des poteaux électriques. Des hommes réparent un temple près de leurs bateaux. Je pédale, je ne pense à rien, quand soudain la douleur me percute. Pile dans l'œil. Un insecte. Je suis aveuglé, je manque me casser la figure, de justesse je parviens à m'arrêter. Avec mon doigt j'essaie d'enlever la bête. Je pleure. Je ris. C'est quand même très con. J'ai vraiment failli me faire mal.

Lorsque je relève la tête, j'avise un rectangle de bois, tout simple, placardé sur une maison bardée d'affiches. Je le remarque parce que le panneau est noir, et que ce qu'il dit est écrit en français. « Les archives du cœur. » Avec une flèche. Droit devant, à quatre cent cinquante mètres.

Les archives du cœur.

Je suis foudroyé.

« Explorez les archives de votre cœur », avait dit Athanis quand je l'avais interrogé sur Paz.

C'est une belle plage en arc de cercle, au sable doré, déserte. Tout au bout de la route. Tout au bout du monde. Loin de Tokyo. Loin des villes. Où se dresse une cabane de planches noires, simple à l'extrême, avec une porte où je retrouve mon écriteau. « Les archives du cœur. » Je la pousse. L'intérieur est tout à fait moderne, aussi blanc que l'extérieur est noir. Une jeune femme en blouse médicale apparaît. Je me tiens face à elle, les bras ballants, ne sachant que dire. Elle me met à l'aise en souriant. Me désigne un ordinateur, posé sur une table blanche elle aussi, comme la chaise aux lignes épurées qui semble attendre que je m'y asseye. L'écran de la machine affiche une image de la mer. La vraie mer, elle, s'affiche dans la fenêtre. Un bateau y passe, petit point mobile sur l'horizon. Rien d'autre que de l'eau, du sable, des rochers, et le rythme des vagues.

L'ordinateur me demande d'entrer un nom.

Mon cœur bat plus vite. Je tape le nom. Son nom.

Une page apparaît.

Alors que Paz n'est jamais allée au Japon.

Les battements de mon cœur s'accélèrent. Je prends une longue inspiration.

C'est une sorte de fiche de renseignements. À « *Country* », elle a mis « *Spain* ». La date m'interpelle. Trois jours après son départ de Paris. Cette date-là, je ne l'oublierai jamais.

La jeune femme s'approche et me demande le numéro. Je ne vois pas le numéro. Son doigt me le montre sur l'écran. REG. NUMBER : 060373.

Elle me prie de la suivre, s'arrête devant une porte qui s'ouvre sur un couloir plongé dans l'obscurité. Elle me fait signe d'entrer. Je cherche dans ses yeux un réconfort. Je suis au bout de la route, maintenant, et je perds pied. Elle sourit. J'entre. Elle ferme doucement derrière moi.

J'attends dans le noir, debout.

De longues secondes.

Une détonation déchire le silence.

Et un éclair zèbre l'obscurité.

Deuxième détonation. Deuxième éclair de lumière, parfaitement synchronisé.

La première détonation est sourde. La seconde, ouverte. Et ça reprend. Sourde. Ouverte. Sourde. Ouverte. Et encore. Et encore. Et encore.

Je comprends et je tombe à genoux.

Ce que j'entends, ce sont les battements d'un cœur. Amplifiés à très haut niveau.

Les battements du cœur de Paz.

Suspendue au plafond, une simple ampoule, une ampoule nue, répercute les pulsations, s'allumant à leur rythme.

Je reste longtemps ainsi. Anéanti.

Et puis je me redresse.

Le visage dans la lumière intermittente, j'écoute. J'écoute la vie battre dans le corps de Paz.

J'écoute Paz en vie.

Éternellement, ici.

*

Je suis assis sur la plage maintenant. Épuisé. Plein d'elle. Quand je suis sorti, ébloui par la blancheur de la pièce, la jeune fille en blouse m'a demandé si je voulais enregistrer mes battements de cœur. Mes battements à moi. Toute personne qui parvenait jusqu'à cette plage était autorisée à le faire. Ainsi en avait décidé l'artiste collectionneur de cœurs. Ainsi battraient-ils pour toujours dans cette île loin de tout. C'était ça, les « archives du cœur ». Oui, c'était ça. Et moi, et notre fils, nous ne saurions donc jamais ce que Paz était venue faire là. Alors, comme si elle avait perçu mon désarroi, la jeune fille ajouta qu'on pouvait aussi laisser un message à l'attention de ceux qui viendraient *plus tard.* La précision m'a électrisé. J'ai foncé jusqu'à la table qui soutenait l'ordinateur. Je suis retourné voir la page de Paz. J'ai trouvé, tout en bas, l'icône « *Add a message* ». Les mots sont apparus.

« Amorcito, *je ne pars pas longtemps mais j'en ai besoin. Tu ne m'écoutes plus. Alors tu écouteras peut-être mes battements de cœur. Les battements du cœur qui t'aime.* Mi corazón para mi corazón. *Prends soin de ce petit* hombrecito *qu'on a fabriqué et qui lui aussi a un cœur qui bat, et qu'il faut écouter. Je pars parce que je vous aime et que je veux revenir mieux. Pour mieux vous aimer. Nous reviendrons ici ensemble. Tu verras comme c'est beau, cette plage, ce silence où battent ces milliers de cœurs, pour toujours. On m'en avait parlé. Je voulais voir, et seule d'abord, parce que mon cœur me fait un peu mal en ce moment et qu'il faut que je l'écoute. Je voulais t'écrire ça, que tu saches que je pense à toi. Quand tu liras je serai là. On enregistrera ton cœur. On enregistrera le sien. Nous serons là tous les trois, réunis. Je vous aime* mis corazones. »

Elle ne nous avait pas abandonnés.

J'ai envie de voir mon fils. Je ne veux plus mourir.

On va revenir ici.

Oui, je crois qu'il nous faudra revenir.

RÉFÉRENCES DES CITATIONS GRECQUES ET LATINES

REMERCIEMENTS

À mes professeurs, qui m'ont ouvert les portes du monde antique et transmis l'amour de transmettre.

À l'Éducation nationale de mon enfance, qui permettait qu'on fasse du grec dans toute la République.

À Hésiode et Homère, conteurs de folie, mythologues de génie.

À Marie-Françoise, pour sa patience infinie, sa bienveillance, son regard laser et ses confidences. J'aime notre complicité.

À Paul et Romain, lecteurs attentifs.

Au petit peuple de la côte amalfitaine, Annarita, Teresa, Nicoletta, Giovanni, Diana, et bien sûr Nicola et Antonio, qui m'y ont fait plonger.

À Richard, mon éclaireur au pays du Soleil-Levant, Minamoto no Yoritomo du XXIe siècle, et à sa « Belle nécessité ».

À Ludovic, mon éditeur, et à toute l'équipe Gallimard.

À mes parents, mes accueilleurs sur les falaises.

À Alina, dont le cœur bat.

DU MÊME AUTEUR

Aux Éditions Gallimard

PLONGER, 2013, Grand Prix de l'Académie française 2013, prix Renaudot des lycéens (Folio n° 5885, 2015).

CROIRE AU MERVEILLEUX, 2017, prix Récamier du roman et prix littéraire des Rotary Clubs de langue française 2017 (Folio n° 6576, 2019).

Aux Éditions Plon

DÉSAGRÉGÉ(E), Plon, 2000, prix La Rochefoucauld (Pocket, 2003).

INTERDIT À TOUTE FEMME ET À TOUTE FEMELLE, Plon, 2002 (Pocket, 2004).

GÉNÉRATION SPONTANÉE, Plon, 2004, prix de la Vocation (Pocket, 2005).

BIRMANE, Plon, 2007, prix Interallié (Pocket, 2008).

Aux Éditions Flammarion

CIELS D'ORAGE, avec Enki Bilal.

Composition Nord Compo
Impression Novoprint
à Barcelone , le 22 octobre 2018
Dépôt légal : octobre 2018

ISBN 978-2-07-282312-1./Imprimé en Espagne.

342543